Drittanbieter
auf der Mobilfunkrechnung

Rechtsanwalt
Thomas Hollweck

Drittanbieter auf der Mobilfunkrechnung

Eine Schritt-für-Schritt Anleitung
zum Vorgehen gegen
unberechtigte Rechnungsposten
auf der Handyrechnung

Rechtsberatung im Buchformat
Kanzlei Hollweck
- Berlin -

Bibliografische Information der Deutschen Nationalbibliothek:
Die Deutsche Nationalbibliothek verzeichnet diese Publikation in der Deutschen
Nationalbibliografie; detaillierte bibliografische Daten sind im
Internet über http://dnb.dnb.de abrufbar.

© 2015 Rechtsanwalt Thomas Hollweck
Karl-Liebknecht-Straße 34, 10178 Berlin
Homepage: www.kanzlei-hollweck.de
2. Auflage Januar 2015
Erstveröffentlichung im Juli 2014
Herstellung und Verlag: BoD
Books on Demand, Norderstedt
ISBN: 978-3-735-74259-9
Printed in Germany

Inhaltsverzeichnis

Vorwort

Inzwischen kommt es immer häufiger vor, dass Kunden auf der monatlichen Handyrechnung unbekannte Leistungen entdecken, die sie nicht kennen, die sie nie genutzt haben, und für die es keine vertragliche Grundlage gibt. Dennoch fordert der Mobilfunkanbieter die vollständige Bezahlung.

Das müssen Sie nicht hinnehmen. Im Rahmen dieses Buches gebe ich Ihnen eine genaue Anleitung an die Hand, mit deren Hilfe Sie Schritt für Schritt die Berechnung von nicht bekannten Drittanbieterleistungen rechtssicher abwenden können.

Da es sich bei solchen Rechnungsposten oftmals um eher geringe Beträge handelt, rentiert sich das Hinzuziehen eines Rechtsanwaltes meist nicht. Darauf setzen sowohl Drittanbieter als auch Mobilfunkprovider. Sie hoffen, dass der Kunde die Rechnung ohne Widerspruch bezahlen wird.

Damit Sie sich selbst bei eher kleinen Streitbeträgen nicht widerstandslos der Zahlung hingeben müssen, möchte ich Ihnen diesen Ratgeber zur Verfügung stellen. Er gibt Ihnen einen großen Fundus an Wissen und Erfahrung aus meiner Kanzleipraxis weiter, um gegen die unberechtigte Geltendmachung von Drittanbieterforderungen effektiv vorzugehen. Ich beobachte derartige Fälle seit langer Zeit und habe zahlreiche Mandate in diesem Bereich betreut. Insofern kenne ich die rechtliche Lage und die angemessene Vorgehensweise sehr gut.

Dieses Buch stellt eine umfassende Rechtsberatung in Buchform dar, die genau auf Ihren Drittanbieter-Sachverhalt zugeschnitten wurde. Anhand von drei unterschiedlichen Vorgehensweisen (Optionen) können Sie die passende auswählen: Je nach individueller Situation können Sie den Forderungen widersprechen und eine Erstattung im Rahmen der Kulanz erwirken (Option 1), von Anfang an die unberechtigten Beträge zurückbuchen lassen (Option 2) oder eine vorzeitige Kündigung des Vertrags erwirken (Option 3).

Ich habe das Buch selbst geschrieben, korrigiert, lektoriert und das Layout erstellt. Es ist damit eine vollständige Eigenproduktion der Kanzlei Hollweck. Natürlich habe ich mir die größte Mühe gegeben, um Fehler zu vermeiden. Sollte sich dennoch der eine oder der andere eingeschlichen haben, so bitte ich um Nachsicht.

Haben Sie Verbesserungsvorschläge oder Anregungen zu diesem Ratgeber, so können Sie mir diese gerne mitteilen. Ich freue mich über jeden Hinweis, wie ich meine Schriften noch besser gestalten kann.

Thomas Hollweck
Rechtsanwalt
Berlin im Januar 2015

1 Vorbemerkungen

1.1 Die Ausgangssituation

Schließen Sie einen Handyvertrag ab, so ist der Mobilfunkanbieter Ihr Vertragspartner. Eine vertragliche Beziehung besteht nur zwischen Ihnen als Kunde und dem Telekommunikationsunternehmen. Andere Parteien sind in diesen Vertrag nicht einbezogen.

Dennoch kommt es inzwischen immer öfter vor, dass andere, „dritte" Firmen ihre Leistungen auf die Handyrechnung setzen. Sie als Kunde müssen dann nicht nur die Beträge Ihres Mobilfunkanbieters bezahlen, sondern auch die Rechnungsposten des anderen Unternehmens. Dieses wird als „Drittanbieter" bezeichnet, da es nicht in den zwischen Ihnen und dem Mobilfunkanbieter abgeschlossenen Vertrag mit einbezogen ist, sondern von außerhalb kommt. Sie sind die Nummer eins im Vertragsverhältnis, der Mobilfunkanbieter ist die Nummer zwei, die fremde Firma ist die Nummer drei. Daher die Bezeichnung „Drittanbieter", oder auch „Fremdanbieter".

Meist handelt es sich dabei um Unternehmen, die sogenannte „Premiumdienste" anbieten, also Leistungen, die über das normale Telefonieren, das Versenden von SMS oder die Internetnutzung eine besondere Zusatzleistung offerieren, quasi eine Premiumleistung. Im Regelfall handelt es sich dabei um Klingeltöne, Videos, Handyspiele oder Spielzusatzleistungen, Sonderrufnummern, Servicedienste, Auskünfte, Vermittlungsdienste, Call-By-Call-Dienste, Erotik-Hotlines etc.

Das alles sind zusätzliche Leistungen, die Sie direkt mit Ihrem Handy per Anruf, SMS, Klick auf einen Button oder über das Internet bestellen können. Die Besonderheit ist die, dass diese Drittanbieter-Unternehmen ihre Dienste nicht über eine normale Rechnung abrechnen, sondern über Ihre Handyrechnung.

Solange Sie diese Zusatzleistungen bewusst bestellt und gewünscht haben, ist alles in Ordnung. Problematisch wird es dann, wenn ein solcher Premiumdienst auf Ihrer Handyrechnung auftaucht, und Sie sich nicht im geringsten erklären können, wer das ist, woher er stammt und welche Leistungen abgerechnet werden.

Leider kommt diese Situation immer häufiger vor. Mit Erhalt der monatlichen Handyrechnung müssen Verbraucher plötzlich feststellen, dass auf dieser völlig unbekannte Leistungen von Unternehmen abgerechnet werden, mit denen sie noch nie etwas zu tun hatten. Der Kunde kann weder erkennen, auf welcher vertraglichen Grundlage die Berechnung geschieht, wann und wie dieser angebliche Vertrag abgeschlossen wurde, und für welche Leistungen bezahlt werden soll. Manchmal wird nicht einmal der Name und die Adresse des Drittanbieters benannt.

Wendet sich der Verbraucher an seinen Mobilfunkanbieter, so reagiert dieser oftmals nur kurz und knapp mit einem ablehnenden Standardschreiben und verweist einzig darauf, dass der Kunde diese Leistung bestellt habe und daher nun bezahlen müsse.

An jener Stelle kommt dieser Ratgeber ins Spiel. Selbstverständlich müssen Sie eine solche Situation nicht hinnehmen. Sie sind nicht dazu verpflichtet, Ihnen völlig unbekannte Leistungen zu bezahlen, von einem Unternehmen mit dem Sie keinen Vertrag abgeschlossen und von dem Sie noch nie gehört haben. Sie können einer fehlerhaften Handyrechnung widersprechen und die Zahlung verweigern. Kommt Ihnen der Mobilfunkanbieter nicht entgegen und beharrt auf einer Zahlung, ohne eine Begründung abzulegen oder den Vertrag mit dem Fremdanbieter nachzuweisen, können Sie den Handyvertrag kündigen. Dieses Buch schildert Ihnen Schritt für Schritt, wie Sie gegen die unberechtigt abgerechneten Drittanbieterleistungen vorgehen.

Sollten Sie bereits selbst gegen die Handyrechnung vorgegangen sein, so haben Sie sicherlich bemerkt, dass sich Ihr Mobilfunkanbieter mit Haut und Haaren dagegen sträubt, die Fremdanbieterleistungen von der Rechnung zu nehmen. Das liegt daran, dass der Mobilfunkanbieter die Forderungen des Drittanbieters *aufgekauft* hat. Die Beträge werden nicht vom Mobilfunkanbieter einverlangt und an das Fremdunternehmen weitergereicht, sondern gehen direkt auf das Konto Ihres Mobilfunkanbieters.

Zuvor hat der Mobilfunkanbieter die Forderung vom Drittanbieter erworben, jedoch nicht zum vollen Preis, sondern beispielsweise nur zur Hälfte. Die andere Hälfte der Gebühr stellt den Gewinn dar, den Ihr Mobilfunkanbieter erhält. Möchte der Drittanbieter z.B. eine Rechnung von 3,99 EUR von Ihnen bezahlt haben, so setzt Ihr Mobilfunkanbieter zwar die 3,99 EUR auf die Handyrechnung, zahlt an den Drittanbieter aber entsprechend den zuvor getroffenen vertraglichen internen Vereinbarungen z.B. nur die Hälfte aus. Auf diese Weise erzielt der Mobilfunkanbieter einen erheblichen Gewinn.

Durch den Forderungsaufkauf hat der Mobilfunkanbieter Ausgaben, die er wieder hereinholen muss. Storniert er den Betrag des Drittanbieters, so würde er einen Verlust in Höhe des Betrags machen, den er bereits an den Drittanbieter gezahlt hat. Insofern liegt dem Mobilfunkanbieter viel daran, dass Sie die Drittanbieterleistung auf Ihrer Handyrechnung ausgleichen. Nur äußerst ungern wird ein solcher Rechnungsposten neutralisiert. Rechtmäßig ist dieses Verhalten nicht.

Widersprechen Sie einer Rechnung und geben an, dass Sie den Drittanbieterdienst nicht genutzt haben, nicht einmal kennen, und dass keine vertragliche Grundlage existiert, so ist Ihr Mobilfunkanbieter verpflichtet, diesen Rechnungsposten von der Handyrechnung zu entfernen. Das beruht darauf, dass Sie als Kunde einen Anspruch auf eine ordnungsgemäße und fehlerfreie Mobilfunkrechnung haben. Anschließend müssten Sie eine Abrechnung direkt von dem jeweiligen Drittanbieter erhalten, um mit diesem die Angelegenheit zu klären. Mein Ratgeber beschreibt Ihnen Schritt für Schritt, wie hierfür vorzugehen ist.

1.2 Wie hilft Ihnen dieser Ratgeber?

Widerspruch gegen unberechtigte Forderungen: Ich kenne Drittanbieterfälle seit vielen Jahren und weiß daher genau, wie gegen die Forderungen jener Unternehmen vorgegangen werden kann. In diesem Buch finden Sie eine exakte Anleitung mit den entsprechenden Mustertexten und Musterbriefen, um Widerspruch gegen eine überhöhte und fehlerhafte Handyrechnung einlegen zu können. So erfahren Sie, wie gegen die eigentliche Mobilfunkrechnung vorgegangen werden kann, aber auch wie Sie gegen eine Rechnung direkt vom Drittanbieter oder eine Inkassomahnung angehen.

Rechtlich sichere Vorgehensweise: Das Ziel dieses Ratgebers liegt darin, Ihnen eine rechtssichere Vorgehensweise mit auf den Weg zu geben, so dass Sie nicht dazu genötigt sind, die unberechtigte Forderung bezahlen zu müssen. Schritt für Schritt erkläre ich Ihnen, wie an die Sache herangegangen werden kann, um in rechtlicher Hinsicht auf der sicheren Seite zu stehen. Am Ende können Sie die Zahlung der gegen Sie gerichteten Rechnungspositionen für angebliche Drittanbieterleistungen abwenden und müssen dabei keine rechtlichen Nachteile befürchten.

Für den rechtlichen Laien verständlich: Ich lege großen Wert darauf, dass Sie diesen Ratgeber gut verstehen können. Daher vermeide ich unverständliche juristische Fachbegriffe und erkläre die Vorgehensweise so, dass Sie diese ohne rechtliche Fachkenntnisse meistern können. Sollten Sie an der Rechtsmaterie etwas näher interessiert sein, so erkläre ich Ihnen am Ende des Buches die wichtigsten in diesem Ratgeber angewandten Paragraphen.

Schritt für Schritt Anleitung: Dieser Ratgeber ist in Form einer Anleitung gestaltet, die ihnen Schritt für Schritt erklärt, was Sie tun müssen. Sie können diese „Anleitung" einfach auf Ihrem Schreibtisch liegen lassen und bei Bedarf einsehen. Kommt ein neues Schreiben auf Sie zu, so schauen Sie in den Ratgeber, wie Sie darauf reagieren können. Somit haken Sie die einzelnen Schritte bis zum Ende ab und werden zu keinem Zeitpunkt alleine gelassen. Da ich die hier behandelten Drittanbieter-Problematiken seit vielen Jahren beobachte, kann ich Ihnen mit Hilfe dieses Ratgebers die nacheinander ablaufenden Einzelschritte exakt beschreiben.

Konkrete Musterbriefe: Zu jedem in diesem Buch beschriebenen Schritt gebe ich Ihnen den entsprechenden Musterbrief mit an die Hand. Diese Musterschreiben sind so formuliert, dass sie alle wichtigen Rechtselemente enthalten, so dass Sie in keinem Fall der Gefahr unterliegen, etwas zu vergessen oder zu übersehen. Zusätzlich haben Sie die Möglichkeit, die Briefe an den dafür vorgesehenen Stellen an Ihre eigene Situation anzupassen. Im Anschluss an jeden Musterbrief finden Sie eine Erläuterung der einzelnen Absätze des Schreibens. Das führt dazu, dass Sie den gesamten Brief Stück für Stück verstehen können, und genau wissen, warum etwas geschrieben und was damit bezweckt wird.

Mehrere Möglichkeiten (Optionen) der Vorgehensweise: Je nachdem, wie wichtig für Sie der aktuelle Mobilfunkvertrag ist, bietet Ihnen das Buch verschiedene Möglichkeiten des Vorgehens an. Möchten Sie den Vertrag beibehalten, weil er Ihnen beispielsweise günstige Konditionen bietet, so wählen Sie die erste Option. Wurde bereits ein hoher Geldbetrag für Drittanbieter von Ihrem Bankkonto abgebucht, so können Sie über die zweite Option eine Rückbuchung durchführen lassen. Sind Sie sehr verärgert über das Verhalten Ihres Providers, so beschreibt Ihnen das Buch in der dritten Option, wie Sie Ihren Vertrag vorzeitig kündigen können. Sämtliche Optionen werden Ihnen unter Nennung der Vor- und Nachteile genau beschrieben.

1.3 Wie versende ich meine Schreiben?

In diesem Ratgeber gebe ich Ihnen zahlreiche Musterbriefe mit auf den Weg, die Sie an die Gegenseite versenden. Wichtig ist, dass Ihre Schreiben tatsächlich ankommen, und Sie später den Zugang nachweisen können.

Immer dann, wenn eine unberechtigte Forderung erstmalig geltend gemacht wird, und Sie dieser widersprechen möchten, müssen Sie später den Zugang des Widerspruchs nachweisen können. Ist eine Forderung erst einmal widersprochen, so genügt für den weiteren Schriftwechsel eine E-Mail.

Ähnliches gilt, wenn sich eine neue Stelle einschaltet, beispielsweise ein Inkassounternehmen. Auch hier empfiehlt sich der Versand per Einschreiben und Fax, damit Sie den erstmaligen Widerspruch beweisen können. Weiterer Schriftwechsel ist dann problemlos per E-Mail möglich.

Nun stellt sich in den in diesem Buch beschriebenen Fällen die Frage, ob es wirtschaftlich sinnvoll ist, teure Einschreiben mit Rückschein zu verwenden. Meist handelt es sich bei den Drittanbieterforderungen um Beträge unterhalb von 100 Euro. Außerdem verfügen nicht alle Unternehmen über eine reale Adresse, geben also sowohl auf der Mobilfunkrechnung als auch auf ihrer Homepage lediglich eine Postfachadresse an. Ohne eine tatsächliche Adresse kann aber ein Einschreiben mit Rückschein nicht versandt werden. Es bietet sich dann das Einwurf-Einschreiben an, wie ich ein paar Zeilen weiter unten noch erläutern werde. Andere Drittanbieter geben keine Faxnummer an, unter der sie erreichbar sind. Eine Firma ohne Fax? Was das für die Seriosität eines Unternehmens bedeutet, mag jeder für sich selbst beurteilen. Ohne eine Faxnummer können Sie natürlich kein Fax mit Sendeberichtsbestätigung versenden.

Es muss also ein Weg gefunden werden, um das Widerspruchsschreiben so an Ihren Mobilfunkprovider oder den Drittanbieter zu versenden, dass diese den Brief tatsächlich erhalten, und Sie später den Zugang nachweisen können. Es bietet sich daher an, einen Versand auf mehreren Wegen per E-Mail und Fax zu wählen, und erst am Ende das kostenintensive Einschreiben zu verwenden.

Wie soll ich meine Schreiben nun konkret versenden?

Versenden Sie Ihren Widerspruch zunächst als PDF per E-Mail, anschließend per Fax. Erhalten Sie keine Rückbestätigung, oder ist das Fax nicht zustellbar, so nutzen Sie als dritte Möglichkeit ein Einschreiben:

Erster Schritt - Versand als PDF per E-Mail: Glücklicherweise geben die meisten Unternehmen eine E-Mail-Adresse an. Senden Sie daher Ihr Schreiben als PDF im E-Mail-Anhang an die Gegenseite. Erhalten Sie eine E-Mail-Eingangsbestätigung, so bestätigt diese, dass die E-Mail am Ziel angekommen ist. Schicken Sie daher Ihre E-Mail zunächst an den Adressaten und warten ab, ob er die Mail bestätigt. Ist das der Fall, so drucken Sie E-Mail und Bestätigung aus, und verzichten auf weitere Zusendungsmethoden. Erhalten Sie keine Bestätigung, so versenden Sie Ihren Brief per Fax.

Zweiter Schritt - Versand per Fax: Nutzen Sie in einem zweiten Schritt den kostengünstigen Versand per Fax. Ein Fax kann beispielsweise in einem Internetcafe oder in so manchem Kiosk kostengünstig verschickt werden. Alternativ finden sich im Internet zahlreiche Möglichkeiten, ein Fax für wenige Cent oder sogar kostenlos zu versenden. Nutzen Sie hierzu eine Suchmaschine und geben die Stichworte „Faxversand kostenlos" ein. Ihnen werden anschließend einige Internetseiten aufgelistet, die den kostenlosen Faxversand anbieten, zumindest für ein oder zwei Test-Faxe. Kostenpflichtige Angebote existieren bereits ab wenigen Cent pro Fax. Achten Sie dabei unbedingt darauf, dass Sie einen Fax-Sendebericht mit der Bestätigung erhalten, dass Ihr Fax versendet wurde. Fax und Sendebericht heben Sie bitte gut auf.

Dritter Schritt – Versand per Einschreiben, wenn die ersten beiden Schritte versagen: Da ein Versand per Einschreiben am teuersten ist, verwenden Sie diesen Schritt nur als letzte Möglichkeit. Das heißt, wenn Sie für Ihre E-Mail keine Eingangsbestätigung erhalten haben, und wenn keine Faxnummer angegeben ist, oder wenn das Fax nicht übermittelt werden konnte. Am sichersten ist das Einschreiben mit Rückschein. Ist lediglich eine Postfachadresse angegeben, so verwenden Sie ein Einwurf-Einschreiben.

Wichtige Hinweise zum Versand: Bitte lesen Sie die Ausführungen zu den einzelnen Versandmethoden weiter hinten unter Kapitel 11.7 in diesem Ratgeber. Dort erläutere ich Ihnen ausführlich die einzelnen Vor- und Nachteile der jeweiligen Versandmethoden, und wie Sie diese zu Ihren Gunsten nutzen können.

1.4 Die verschiedenen Optionen

Hält man eine fehlerhafte Handyrechnung in der Hand, so gibt es verschiedene Möglichkeiten, um darauf zu reagieren. Je nachdem, ob man den Vertrag aufgrund günstiger Preise gerne beibehalten, oder diesen im Extremfall am liebsten sofort kündigen möchte, gibt es verschiedene Wege der Reaktion auf die falsche Rechnung. Ich beschreibe Ihnen daher in diesem Buch alle möglichen Wege, so dass Sie für sich den besten auswählen können.

Option 1 - Widerspruch gegen die Rechnung, ohne Rückbuchung: Ist es für Sie wichtig, den Vertrag unbedingt beizubehalten, so sollten Sie so vorsichtig wie möglich auf die fehlerhafte Rechnung reagieren. Dies gilt vor allem in Hinblick darauf, dass Sie diese nicht kürzen sollten. Das heißt, Sie zahlen dem Mobilfunkanbieter zunächst sowohl den berechtigten Rechnungsanteil

(Grundgebühr, Telefonate, SMS, Flats etc.), als auch den unberechtigten Anteil (Drittanbieter). Hat Ihr Mobilfunkprovider den gesamten Rechnungsbetrag erhalten, hat er keine Handhabe, um gegen Sie vorzugehen. Eine Vertragssperrung oder Kündigung seitens des Providers ist ausgeschlossen. Dennoch legen Sie Widerspruch gegen die Rechnung ein und zeigen Ihrem Anbieter auf, dass er unberechtigte Posten für Drittanbieter in Rechnung gestellt hat. Durch das von mir Schritt für Schritt beschriebene Vorgehen besteht für Sie eine hohe Wahrscheinlichkeit, dass Ihr Anbieter letztendlich die zu Unrecht abgebuchten Beträge erstatten wird. Sie gehen keinerlei Risiko ein, erhalten aber die zu Unrecht berechneten Drittanbieterposten zurück. Option 1 ist daher für Sie dann sinnvoll, wenn Sie den Mobilfunkvertrag in jedem Fall beibehalten möchten und so vorsichtig wie möglich vorgehen wollen.

Option 2 – Widerspruch gegen die Rechnung, mit Rückbuchung: Im Unterschied zur ersten Option buchen Sie hier von Anfang an den gesamten Betrag der Handyrechnung von Ihrem Bankkonto zurück. Anschließend überweisen Sie lediglich den berechtigten Anteil, ohne Drittanbieter. Das hat den Vorteil, dass Sie umgehend die zu Unrecht abgebuchten Beträge zurück erhalten. Es besteht aber die Gefahr, dass Ihr Provider auf die Rückbuchung unangemessen reagiert und Sie zur Rückzahlung auffordert, den Anschluss teilweise sperrt, oder Ihnen sogar die Vertragskündigung erklärt. Rechtmäßig wäre das nicht, aber leider verhalten sich Mobilfunkanbieter manchmal so. Diese Option ist für Sie dann sinnvoll, wenn Sie das zu Unrecht abgebuchte Geld so schnell wie möglich zurück erhalten möchten, oder wenn es sich um höhere Beträge handelt, und Sie den Vertrag nicht unbedingt beibehalten wollen.

Option 3 – Kündigung des Mobilfunkvertrags: Sind Sie darüber verärgert, dass Ihr Mobilfunkanbieter Rechnungsbeträge für Drittanbieter einbehält, ohne dass Sie mit diesen einen Vertrag abgeschlossen oder Leistungen bezogen haben, so können Sie Ihrem Provider von Anfang an die außerordentliche vorzeitige Kündigung erklären. In dieser Option setzen Sie eine Frist, innerhalb der die Drittanbieterposten von Ihrer Mobilfunkrechnung storniert werden müssen. Geschieht das nicht, so tritt die Kündigung in Kraft. Diese Option ist für Sie sinnvoll, wenn Sie den Vertrag nicht unbedingt beibehalten und evtl. sowieso zu einem anderen Anbieter wechseln wollten. Durch die Kündigung endet das Vertragsverhältnis mit Ihrem Mobilfunkprovider vollständig.

Welche Option soll ich nun wählen? Sind Sie unsicher, welche Methode für Sie die beste ist, so empfehle ich Ihnen die Option Nr.1. Damit sind Sie zunächst auf der sicheren Seite, Sie gehen keinerlei Risiko ein. Zudem führt diese Vorgehensweise oft zum gewünschten Erfolg. Verhält sich Ihr Mobilfunkanbieter trotz des Widerspruchs dauerhaft rechtswidrig, und nimmt keine Stornierung der Drittanbieter-Beträge vor, so können Sie am Ende immer noch eine Rückbuchung über Ihre Bank durchführen lassen, oder sogar die außerordentliche Kündigung erklären. Das Vorgehen finden Sie im Buch genau beschrieben. Achten Sie aber unbedingt darauf, dass Sie zeitnah reagieren, denn die Frist für eine Bankrückbuchung liegt bei nur acht Wochen.

2 Widerspruch Mobilfunkrechnung ohne Rückbuchung (Option 1)

Im folgenden beschreibe ich Ihnen mit Option 1 eine Vorgehensweise, wie Sie Widerspruch gegen die mit Drittanbietern besetzte Handyrechnung einlegen, ohne ein Risiko einzugehen. Sie führen weder eine Bankrückbuchung durch, noch erklären Sie die Kündigung des Vertrags. Sie belassen zunächst einmal alles so, wie es ist, legen aber gegen die Rechnung Widerspruch ein.

Dadurch machen Sie Ihrem Mobilfunkanbieter deutlich, dass Sie mit der Abrechnung nicht einverstanden sind, und bitten um Korrektur. Eine Sperrung des Vertrags riskieren Sie nicht, da Ihr Mobilfunkanbieter zunächst den gesamten Rechnungsbetrag erhält. Je nachdem, wie Ihr Provider auf den Rechnungswiderspruch reagiert, schildere ich Ihnen Schritt für Schritt das weitere Vorgehen.

Option 1 ist für Sie dann sinnvoll, wenn Sie den Mobilfunkvertrag in jedem Fall beibehalten möchten und so vorsichtig wie möglich vorgehen wollen. Eine Vertragssperrung oder Kündigung seitens des Providers ist ausgeschlossen. Dennoch legen Sie Widerspruch gegen die Rechnung ein und zeigen Ihrem Anbieter auf, dass er unberechtigte Posten für Drittanbieter in Rechnung gestellt hat. Durch das von mir Schritt für Schritt beschriebene Vorgehen besteht für Sie eine hohe Wahrscheinlichkeit, dass Ihr Anbieter letztendlich die zu Unrecht abgebuchten Beträge erstatten wird. Sie gehen keinerlei Risiko ein, erhalten aber die zu Unrecht berechneten Drittanbieterposten zurück.

Da Ihr Mobilfunkanbieter den unberechtigten Rechnungsposten des Drittanbieters auf Ihre Handyrechnung gesetzt hat, ist dieser Ihr erster Ansprechpartner. Bitte wenden Sie sich daher zunächst schriftlich an den Mobilfunkanbieter, und fordern Sie ihn zur Stornierung der Drittanbieterbeträge auf. Da es sich um die Geltendmachung von Forderungen eines fremden Unternehmens handelt, wäre Ihr Mobilfunkanbieter verpflichtet, die Rechnungspositionen der Drittanbieterfirma von der Handyrechnung zu entfernen und Ihnen zu erstatten.

Anschließend müsste dem Drittanbieter durch Ihren Mobilfunkprovider eine Mitteilung gemacht werden, dass den berechneten Beträgen widersprochen wurde. Schließlich sollte Ihr Mobilfunkanbieter, sofern er seriös und rechtmäßig handelt, eine korrigierte Rechnung ohne Drittanbieterpositionen erstellen, oder auf der nächsten Rechnung eine Gutschrift über die Drittanbieterbeträge erteilen.

Zusammen mit dem ersten Schreiben an Ihren Mobilfunkanbieter wenden Sie sich zeitgleich schriftlich an den Drittanbieter. Bitte nutzen Sie hierzu den unter Abschnitt 2.4 angegebenen Musterbrief. Ein zeitgleiches erstes Anschreiben an Mobilfunkanbieter und Drittanbieter ist sinnvoll, um Zeit zu sparen. Sollte es nötig werden, so können Sie zu einem späteren Zeitpunkt noch eine Bankrückbuchung durchführen, da Sie sich noch in der achtwöchigen Frist für die Rückbuchung befinden.

2.1 Musterbrief an den Mobilfunkanbieter

Mit dem folgenden Musterbrief teilen Sie Ihrem Mobilfunkanbieter mit, dass Sie das Fremdunternehmen nicht kennen, keinen Vertrag mit diesem abgeschlossen und keine Leistungen in Anspruch genommen haben.

Den kursiv gedruckten Text des Musterbriefs nehmen Sie bitte als Vorlage für Ihr Schreiben. An den Stellen, an denen Wörter in Klammern gesetzt sind, fügen Sie Ihre eigenen Angaben bzw. Daten ein, wie beispielsweise Adressangaben, Kundendaten, Datumsangaben oder Geldbeträge.

Absender:
(Vorname, Name)
(Straße, Hausnummer)
(Postleitzahl, Stadt)

An
(Name Ihres Mobilfunkanbieters)
(Straße, Hausnummer)
(Postleitzahl, Stadt)

Als PDF per E-Mail an: (E-Mail-Adresse des Mobilfunkanbieters)
Per Fax an: (Faxnummer des Mobilfunkanbieters)
Per Einschreiben mit Rückschein

Kundennummer: (Ihre Kundennummer)
Rufnummer: (Ihre Handynummer)
Widerspruch gegen die Rechnung Nr. (Rechnungsnummer) vom (Rechnungsdatum)
Bitte um Stornierung der Drittanbieterpositionen

Sehr geehrte Damen und Herren,

Sie rechnen auf meiner Mobilfunkrechnung (Rechnungsnummer) vom (Rechnungsdatum) Leistungen von dem Drittanbieter (Name des Drittanbieters) ab, welche als unberechtigt erscheinen. Ich lege daher gegen die Rechnung Widerspruch ein.

(Nutzen Sie diesen Absatz, falls bereits auf früheren Rechnungen Drittanbieterleistungen unberechtigt abgerechnet wurden): Der Widerspruch bezieht sich zugleich auf die vorhergehenden Rechnungen, auf denen Sie diesen Drittanbieter unberechtigt abgerechnet haben. (Hier schildern Sie kurz, am besten in Form einer Auflistung, auf welchen Rechnungen welche Drittanbieter abgerechnet wurden, und mit welchen Beträgen.)

Sie haben Leistungen des Drittanbieters in Rechnung gestellt, obwohl ich von diesem Anbieter weder Dienste in Anspruch genommen, noch Verträge mit diesem Unternehmen abgeschlossen habe. Ich versichere Ihnen ausdrücklich, dass ich das von Ihnen abgerechnete Unternehmen nicht kenne und keine vertraglichen Beziehungen mit diesem führe. Mir ist gänzlich unbekannt, wie es zu diesen Rechnungspositionen kommen konnte, und welche Leistungen hier abgerechnet werden.

Ich bitte Sie, innerhalb von zwei Wochen ab Erhalt dieses Einschreibens die Stornierung der Drittanbieter-Rechnungspositionen vorzunehmen und die bereits erhaltenen Beträge an mich zurückzuerstatten. Ich werde mich dann mit dem Drittanbieter direkt auseinandersetzen.

Rein vorsorglich widerrufe ich hiermit die Ihnen erteilte Bankeinzugsermächtigung. Bitte buchen Sie ab sofort keine Beträge mehr von meinem Konto ab, sondern lassen Sie mir die entsprechenden Rechnungen zur Überweisung zukommen.

Weiterhin bitte ich Sie, für die Zukunft eine Drittanbieter-Sperre nach §45d TKG einzurichten, damit keine weiteren unberechtigten Gebühren von Drittanbietern über meine Mobilfunkrechnung abgerechnet werden. Ich versichere Ihnen hiermit ausdrücklich, dass ich nur mit Ihnen in einem Vertragsverhältnis stehe. Ich habe keine Verträge mit Drittanbietern abgeschlossen. Bitte beenden Sie jegliche evtl. noch laufenden Drittanbieter-Abonnements und setzen keine neuen Fremdanbieter-Rechnungsposten auf meine Rechnung.

(Sollte der Name und die deutsche Adresse des Drittanbieters noch nicht in Ihrer Handyrechnung aufgeführt sein, so fügen Sie den folgenden Absatz hinzu:) Leider teilen Sie mir in Ihrer Rechnung nicht den Namen und die Kontaktdaten des Drittanbieters mit. Nach §45h Absatz 1 TKG und §45p Absatz 1 TKG sind Sie dazu verpflichtet, mir die vollständigen Anschriftdaten zu benennen, inklusive einer deutschen Kontaktadresse.

Ich würde mich sehr freuen, wenn diese Angelegenheit kundenfreundlich und kulant gelöst werden könnte.

Mit freundlichen Grüßen
(Ihre Unterschrift)
(Ort, Datum)

2.2 Was bewirkt dieser Brief?

Das Ziel dieses Briefes an Ihren Mobilfunkanbieter liegt darin, Ihrem Anbieter die unberechtigte Abbuchung von Fremdleistungen mitzuteilen. Durch den Widerspruch gegen die einzelnen unberechtigten Abrechnungsposten auf Ihrer Handyrechnung wird der Mobilfunkanbieter aufgefordert, eine Erstattung an Sie vorzunehmen. Im folgenden möchte ich Ihnen den Inhalt des Schreibens Absatz für Absatz erklären:

Widerspruch gegen die Abrechnung der Drittanbieterleistungen: Ihr Mobilfunkanbieter geht zunächst davon aus, dass die Ihnen zugestellte Handyrechnung korrekt ist, und Sie zur vollständigen Bezahlung verpflichtet sind. Ihr Mobilfunkanbieter führt keine Einzelüberprüfung durch, die Rechnung wird automatisiert per Computer erstellt und an Sie versandt. Erst durch den Widerspruch wird Ihr Anbieter überhaupt darauf aufmerksam gemacht, dass mit der Rechnung etwas nicht stimmt. Erst dann nimmt sich ein Sachbearbeiter Ihre Handyrechnung vor und überprüft diese eingehend.

Zudem verhindern Sie durch den Widerspruch grundsätzlich eine Sperrung Ihres Anschlusses. Das ist an dieser Stelle aber von untergeordneter Bedeutung, da Ihr Mobilfunkanbieter den Rechnungsbetrag bereits abgebucht hat, so dass ohne offene Forderungen kein Grund für eine Sperrung droht. Das wäre erst dann der Fall, wenn Sie den Rechnungsbetrag direkt über Ihre Bank zurückbuchen lassen und anschließend nur den berechtigten Teilbetrag überweisen würden. Eine solche Rückbuchung nehmen Sie an dieser Stelle aber nicht vor, um kein Risiko einzugehen.

Für einen Rechnungswiderspruch steht Ihnen gemäß §45i Absatz 1 TKG (Telekommunikationsgesetz) ein Zeitraum von acht Wochen zur Verfügung. Diese Frist beginnt mit Erhalt der Rechnung. Es kommt nicht auf das Rechnungsdatum an, sondern auf den tatsächlichen Zugang bei Ihnen zuhause. Herrscht Uneinigkeit über den Fristbeginn, so müsste Ihr Mobilfunkanbieter beweisen, wann genau Sie die Rechnung erhalten haben.

Frühere Rechnungen: Befinden sich die Drittanbieter-Rechnungsposten bereits seit längerer Zeit auf Ihren Rechnungen, so legen Sie mit diesem Absatz zusätzlich Widerspruch gegen die früheren Abrechnungen ein. Bitte stellen Sie hierzu eine kleine Liste auf, in der Sie das Rechnungsdatum, den Drittanbieter und den abgebuchten Betrag kennzeichnen. So weiß Ihr Mobilfunkanbieter genau, auf welche Einzelleistungen sich Ihr Rechnungswiderspruch bezieht.

Kein Vertrag und keine Leistungen: Hier teilen Sie Ihrem Mobilfunkanbieter mit, dass Sie mit dem in der Handyrechnung aufgeführten Drittanbieter keinen Vertrag abgeschlossen haben, dass sie ihn nicht kennen und keine Leistungen bezogen haben. Damit benennen Sie den Grund für Ihren Widerspruch. In rechtlicher Hinsicht ist es Ihrem Mobilfunkanbieter nicht gestattet, Beträge über Ihre Handyrechnung abzurechnen, für die es keine vertragliche Grundlage gibt.

Im Normalfall müsste sich Ihr Mobilfunkanbieter nun von den beteiligten Drittanbieter-Unternehmen die vertragliche Grundlage benennen lassen. Leider geschieht das oftmals nur in der Form, dass der Mobilfunkanbieter kurz Kontakt mit dem Fremdanbieter aufnimmt, und dieser mit Hilfe eines Standardschreibens bestätigt, dass eine vertragliche Grundlage gegeben sei. In rechtlicher Hinsicht reicht das nicht aus.

Bitte um Stornierung: Mit diesem Absatz fordern Sie Ihren Mobilfunkanbieter dazu auf, den für den Drittanbieter abgerechneten Teilbetrag zu stornieren, also von der Rechnung zu entfernen und Ihnen den Betrag zu ersetzen. In manchen Fällen kann der Mobilfunkanbieter keine Stornierung und Rechnungsneuerstellung vornehmen, es erfolgt dann eine Gutschrifterteilung auf der Folgerechnung. Diese Gutschrift wird in Höhe des vom Drittanbieter berechneten Betrags gewährt und mit Ihren normalen Rechnungsbeträgen verrechnet, so dass sich für Sie das gleiche Resultat einstellt, als ob Ihnen der Betrag direkt ausgezahlt worden wäre.

Setzen Sie Ihrem Mobilfunkanbieter eine ausreichend lange Frist, um auf Ihr Schreiben reagieren zu können. Erfolgt nach Ablauf der zwei Wochen weder eine Erstattung der zu unrecht abgebuchten Beträge, oder noch nicht einmal eine Reaktion, so können Sie die weiteren unten beschriebenen rechtlichen Schritte einleiten.

Hat Ihr Mobilfunkanbieter den fehlerhaften Rechnungsposten storniert, so geht die Forderung an den Drittanbieter zurück. Dieser müsste Ihnen nun selbst eine Rechnung für die angeblichen Leistungen zukommen lassen. Gegen diese könnten Sie dann mit Hilfe des in Kapitel 5.1 geschilderten Musterbriefs Widerspruch einlegen. Bitte machen Sie sich diesbezüglich aber keine allzu großen Sorgen, in meiner Kanzleipraxis hat sich gezeigt, dass die Drittanbieter eher selten eigene Rechnungen versenden. Nach erfolgter Stornierung von der Mobilfunkrechnung ist das Problem meist gelöst.

Widerruf Bankeinzugsermächtigung: Haben Sie Ihrem Mobilfunkanbieter die Ermächtigung zum Lastschrifteinzug erteilt, so können Sie diese hiermit widerrufen. Bei den meisten Handyverträgen wird ein derartiger Lastschrifteinzug abgeschlossen. Damit hat Ihr Anbieter die Möglichkeit, den jeweils aktuellen Rechnungsbetrag von Ihrem Konto einzuziehen. Das hat den Nachteil, dass auch unberechtigte und zu hohe Rechnungsbeträge abgebucht werden können. Einfacher ist es, wenn Sie den monatlichen Rechnungsbetrag selbst an Ihren Mobilfunkanbieter überweisen.

Mit diesem Absatz widerrufen Sie die Einzugsermächtigung und erhalten in Zukunft die monatliche Rechnung per Post oder per E-Mail. Das kann selbstverständlich rückgängig gemacht werden. Im Regelfall können Sie über die Homepage des Mobilfunkanbieters jederzeit wieder auf Lastschrifteinzug umstellen. Findet sich auf der Homepage keine Option, so schicken Sie Ihrem Provider einfach eine kurze E-Mail mit der Bitte um zukünftigen Lastschrifteinzug.

Einrichten einer Drittanbietersperre: Inzwischen ist jeder Mobilfunkanbieter verpflichtet, für seine Kunden auf Wunsch eine Sperrung für Drittanbieter einzurichten. Das heißt, nach Einrichten der Sperre können auf der Handyrechnung nur noch Leistungen des eigenen Anbieters abgerechnet werden. Fremdfirmen dürfen sich ihre Leistungen nicht mehr darüber bezahlen lassen. Eine solche Sperre bietet für den Kunden höchstmöglichen Schutz und verhindert für die Zukunft, dass weitere unberechtigte Beträge geltend gemacht werden.

Die rechtliche Grundlage hierfür findet sich in §45d Absatz 3 TKG. Diese Vorschrift verpflichtet den Mobilfunkanbieter, eine Sperre einzurichten. Es besteht kein Wahlrecht des Anbieters, er muss auf Kundenwunsch tätig werden. §45d Absatz 2 TKG gewährt Ihnen zusätzlich das Recht, bestimmte Rufnummernbereiche sperren zu lassen, beispielsweise teure 0900er-Nummern.

Benennung der Drittanbieter-Kontaktdaten: Ihr Mobilfunkanbieter ist gesetzlich dazu verpflichtet, die konkreten Leistungen eines jeden Drittanbieters in der Rechnung zu benennen. Zudem muss Ihnen eine kostenlose Rufnummer zur Verfügung gestellt werden, unter der Sie den Namen und die Anschrift des Drittanbieters in Erfahrung bringen können. Hat das Fremdunternehmen seinen Sitz im Ausland, so muss Ihnen unter der kostenlosen Rufnummer die Auskunft über eine Vertretung innerhalb Deutschlands benannt werden. Die Rechtsgrundlagen hierfür finden sich in §45h Absatz 1

TKG und §45p Absatz 1 TKG. Neben der Möglichkeit, die Kontaktdaten telefonisch zu erfragen, kann das, wie hier, auch schriftlich erfolgen.

2.3 Welche Reaktionen sind nun möglich?

Rückzahlung der Drittanbieter-Beträge: Im Idealfall zeigt sich Ihr Mobilfunkanbieter kundenfreundlich und nimmt die Reklamation ernst. Sie erhalten eine Gutschrift über die zu Unrecht abgebuchten Beträge des Fremdunternehmens, welche meist auf der folgenden Monatsrechnung auftaucht. Damit ist die Angelegenheit in Bezug auf Ihren Mobilfunkanbieter abgeschlossen. Es kann sein, dass Sie nach einiger Zeit direkt von dem Drittanbieter eine Rechnung erhalten. Wie Sie dieser widersprechen, lesen Sie weiter unten in Kapitel 5. In meiner Kanzleipraxis zeigte sich jedoch, dass nach erfolgter Stornierung von der Mobilfunkrechnung oftmals keine weiteren Forderungen seitens des Drittanbieters kamen. Die meisten Drittanbieter wissen selbst, dass ihre Forderungen unberechtigt sind, und dass sie keinen Vertrags- oder Leistungsnachweis erbringen könnten. Insofern verzichten diese meist auf eine Rechnungsstellung direkt gegenüber dem Kunden.

Mobilfunkanbieter verweigert die Stornierung oder antwortet nicht: Im schlechtesten Fall antwortet Ihr Mobilfunkanbieter überhaupt nicht oder verweigert die Stornierung der zu Unrecht abgerechneten Beträge und verweist Sie auf den beteiligten Drittanbieter. Geschieht das, so schreiben Sie nun in einem zweiten Schritt den Drittanbieter an, falls Sie das noch nicht zeitgleich zusammen mit dem ersten Schreiben erledigt haben, und wenden sich evtl. in einem dritten Schritt, falls erforderlich, noch einmal an Ihren Mobilfunkanbieter. Die hierzu notwendige weitere Vorgehensweise schildere ich Ihnen in den nächsten Abschnitten.

2.4 Musterbrief an den Drittanbieter

Mit Hilfe des folgenden Briefes fordern Sie den Drittanbieter auf, die zu Unrecht abgebuchten Beträge an Sie zurückzuzahlen. Während Sie mit dem oben aufgezeigten Musterbrief in einem ersten Schritt den Mobilfunkanbieter kontaktierten und Rechnungswiderspruch einlegten, gehen Sie mit dem jetzigen Brief direkt gegen die Forderungen des Drittanbieters vor.

Diese Vorgehensweise kann später noch wichtig werden. Es hat sich in meiner Kanzleipraxis gezeigt, dass viele Mobilfunkanbieter eine Erstattung der Fremdanbieterbeträge erst dann vornehmen, wenn man sich an den Drittanbieter direkt gewendet hat, und dieser die Rückzahlung verweigert. Legt man seinem Mobilfunkprovider das ablehnende Schreiben des Drittanbieters vor, erfolgt oftmals spätestens dann eine Erstattung.

Das kann damit zusammen hängen, dass der Mobilfunkanbieter so lange wie möglich versucht, eine Erstattungspflicht zu vermeiden. Er verweist seinen Kunden zunächst an den Drittanbieter und hofft, auf diese Weise die Forderungen des Kunden abwenden zu können. Erst wenn selbst der Drittanbieter eine Rückzahlung verweigert, kann der Mobilfunkanbieter die Schuld nicht mehr auf andere schieben und nimmt die Erstattung an seinen Kunden vor.

Liegt Ihnen die Adresse des Drittanbieters nicht vor, so warten Sie die Antwort Ihres Mobilfunkanbieters ab oder wenden sich an die in Ihrer Rechnung benannte kostenfreie Rufnummer, unter der Sie die Adresse des Drittanbieters erfahren können. Es muss Ihnen eine Anschrift innerhalb Deutschlands benannt werden, Sie sind nicht dazu verpflichtet, sich an Adressen im Ausland zu wenden.

Bitte versenden Sie den folgenden Brief an den Drittanbieter:

Absender:
(Vorname, Name)
(Straße, Hausnummer)
(Postleitzahl, Stadt)

An
(Name des Drittanbieters)
(Straße, Hausnummer)
(Postleitzahl, Stadt)

Als PDF per E-Mail an: (E-Mail-Adresse des Drittanbieters)
Per Fax an: (Faxnummer des Drittanbieters)
Per Einschreiben mit Rückschein

Meine Mobilfunknummer: (Mobilfunknummer)
Mein Mobilfunkanbieter: (Mobilfunkanbieter)
Ihre Abrechnung auf meiner Mobilfunkrechnung Nr. (Rechnungsnummer) vom (Datum)
Widerspruch gegen Ihre Forderungen

Sehr geehrte Damen und Herren,

auf meiner Mobilfunkrechnung mit der Nummer (Rechnungsnummer) des Anbieters (Mobilfunkanbieter) vom (Datum) haben Sie einen Gesamtbetrag von (Betrag) abgerechnet. Hiermit lege ich gegen diese Forderung Widerspruch ein, da sie unberechtigt ist.

Sie machen eine Forderung ohne vertragliche Grundlage geltend. Ich habe mit Ihnen keinen Vertrag abgeschlossen, Ihr Unternehmen ist mir unbekannt, ich habe keinerlei Leistungen von Ihnen bezogen.

Insofern bitte ich Sie zunächst um eine Beschreibung, welche konkreten Leistungen Sie mir gegenüber erbracht haben. Zudem bitte ich Sie um den Nachweis der vertraglichen Grundlage, auf deren Basis Sie berechtigt sind, Forderungen an mich zu stellen.

Schon jetzt weise ich Sie darauf hin, dass alleine die Behauptung, der Vertrag wurde online im Internet oder über eine App abgeschlossen, keinen Beweis für eine tatsächliche vertragliche Grundlage darstellt.

Bitte beachten Sie, dass Sie den Vertrag behaupten, insoweit dazu verpflichtet sind, diesen nachzuweisen. Lediglich die Behauptung eines Vertrages reicht nicht aus, um daraus Forderungen ableiten zu können. Da meines Wissens nach ein solcher Vertrag aber nicht abgeschlossen wurde, gehe ich davon aus, dass Sie keinen vorlegen werden.

Hiermit erkläre ich Ihnen rein vorsorglich den Widerruf des Vertrags nach §355 BGB. Da ich bislang keine ordnungsgemäße Widerrufsbelehrung von Ihnen erhalten habe, ist die 14tägige Widerrufsfrist noch nicht abgelaufen, ein Widerruf ist mithin innerhalb von zwölf Monaten und 14 Tagen möglich und wirksam, §356 Absatz 3 Satz 2 BGB.

Rein vorsorglich erkläre ich Ihnen hiermit die Anfechtung wegen Täuschung nach §123 Absatz 1 BGB. Wenn Sie behaupten, dass ich einen kostenpflichtigen Vertrag geschlossen habe, gleichzeitig aber die notwendigen vertraglichen Grundlagen wie beispielsweise den Preis, nicht ausreichend darstellen, so dass Ihre Kunden überhaupt nicht erkennen können, dass ein kostenpflichtiger Vertrag abgeschlossen wird, so liegt hier möglicherweise der Tatbestand der Täuschung vor.

Zusätzlich wird Ihnen hiermit die Anfechtung wegen Irrtums nach §119 BGB erklärt, da ich einen solchen, von Ihnen behaupteten Vertrag, nicht abschließen wollte.

(Haben Sie ein minderjähriges Kind, so nutzen Sie zusätzlich den folgenden Absatz in Ihrem Schreiben an den Drittanbieter): Sollte der von Ihnen behauptete Vertrag von meinem minderjährigen Kind geschlossen worden sein, so wird hiermit die elterliche erforderliche Genehmigung nach §108 Absatz 1 BGB verweigert. Mir ist bislang nicht bekannt, dass mein minderjähriges Kind einen Vertrag mit Ihnen abgeschlossen hat. Sollte das dennoch der Fall sein, so liegt aufgrund der fehlenden Genehmigung zwischen Ihnen und der minderjährigen Person kein vertragliches Verhältnis vor. Ich verweise hierzu auf das Urteil des Landgerichts Saarbrücken vom 22.06.2011 (Az. 10 S 60/10), in dem die Möglichkeit zur Verweigerung der Genehmigung den Eltern eindeutig zugestanden wird.

Ich möchte Sie daher bitten, eine Forderungsstornierung innerhalb von zwei Wochen ab Erhalt dieses Schreibens zu veranlassen, und mir bis zu diesem Zeitpunkt schriftlich Bescheid zu geben. Zudem bitte ich Sie, mir den Gesamtbetrag der oben benannten Forderungen innerhalb dieser Frist auf mein Konto bei (Ihre Bankverbindung) zu erstatten.

Zudem bitte ich Sie, ab sofort jegliche evtl. noch gegen mich laufenden Abonnements einzustellen und keine weiteren Rechnungsposten mehr auf meine Mobilfunkrechnung zu setzen.

Mit freundlichen Grüßen
(Ihre Unterschrift)
(Ort, Datum)

2.5 Was bewirkt dieser Brief?

Dieser Musterbrief verfolgt zwei wichtige Ziele. Zum einen legen Sie Widerspruch gegen die unberechtigten Forderungen des Drittanbieters ein. Sie machen deutlich, dass keine vertragliche Grundlage besteht, aufgrund deren Rechnungen gegen Sie gestellt werden dürfen. Zum anderen äußern Sie alle in Frage kommenden rechtlichen Einwendungen, um einen evtl. doch versehentlich oder unbewusst geschlossenen Vertrag zu Fall zu bringen. Im folgenden erläutere ich Ihnen Absatz für Absatz, was dieses Musterschreiben bezweckt:

Widerspruch gegen die Forderung: Immer dann, wenn Sie mit einer unberechtigten Forderung, Rechnung oder Mahnung konfrontiert werden, ist es wichtig, dieser einen Forderungswiderspruch entgegen zu setzen. Der Gegenseite muss deutlich gemacht werden, dass Sie nicht mit dieser Forderung einverstanden sind und keine Zahlungen leisten werden. Vor allem in Hinblick auf einen möglichen Schufa-Negativeintrag ist der Forderungswiderspruch sehr wichtig, da eine widersprochene Forderung nicht in die Schufa oder in andere Auskunfteien eingetragen werden darf. Durch die genaue Bezeichnung der Forderung mit Datum, Betrag, und Ihren Angaben zum Mobilfunkvertrag zeigen Sie auf, um welche konkrete Forderung es sich handelt.

Forderung ohne vertragliche Grundlage: Eine Zahlung darf von Ihnen immer nur dann verlangt werden, wenn hierfür eine vertragliche oder rechtliche Grundlage existiert. Bucht ein Drittanbieter über Ihre Handyrechnung einzelne Beträge ab, so muss hierfür ein Vertrag vorliegen, da es sich ansonsten um eine rechtswidrige Abbuchung handelt. Durch den Hinweis auf die fehlende vertragliche Grundlage machen Sie dem Fremdanbieter deutlich, aus welchem Grund Sie die Forderung bestreiten.

Beschreibung der Leistungen: Im Regelfall ist es für den Mobilfunkkunden überhaupt nicht einsehbar, wofür er bezahlen soll. Der Mobilfunkanbieter setzt den einzelnen Drittanbieter-Betrag auf die Handyrechnung, ohne dass sich daraus eine Erklärung ergibt. Meist werden nur der Name und die Kosten für den Dienst benannt, und am Ende der Rechnung findet sich ein Hinweis auf Adresse, Telefonnummer und Internetseite des Anbieters. Eine Erklärung, welche Leistung konkret erbracht wurde, fehlt. Daher muss der Drittanbieter aufgefordert werden, diese Leistung zu beschreiben.

Sie werden sehen, dass der von Ihnen angeschriebene Dienst eine solche konkrete Leistungsbeschreibung gar nicht erbringen kann. Ich kenne zahlreiche Fälle, in denen der jeweilige Fremdanbieter überhaupt keine Aussage machen kann, was der Kunde bezahlen soll. Manchmal schweigt der Drittanbieter zu diesem Thema gänzlich, manchmal wird auf ein anderes Unternehmen verwiesen, da der angeschriebene Drittanbieter sich damit herausredet, lediglich ein Zahlungsdienstleister zu sein, der für einen anderen weiteren Anbieter abrechnet. Der weiter benannte Anbieter sitzt dann im Ausland und ist für den Kunden so gut wie nicht erreichbar.

Kann der von Ihnen kontaktierte Drittanbieter seine eigenen Leistungen nicht konkret benennen, was genau er wann und wie Ihnen an Leistung zur Verfügung gestellt hat, so unterliegen Sie keiner Zahlungspflicht. Ihr Mobilfunkanbieter darf in einem solchen Fall keinesfalls eine Berechnung der Drittanbieterleistungen über Ihre Handyrechnung vornehmen. Denn wenn der eigentliche Verkäufer nicht einmal weiß, was er Ihnen verkauft hat, wie kann er eine solche Leistung dann abrechnen?

Nachweis der vertraglichen Grundlage: Wie bereits oben angedeutet, darf ein Drittanbieter Ihnen nur dann eine Leistung in Rechnung stellen, wenn hierfür ein Vertrag abgeschlossen wurde. Ohne einen Vertrag ist es in keinem Fall möglich, dass Sie eine Zahlung an den Drittanbieter erbringen müssen. Kann der von Ihnen angeschriebene Fremdanbieter die vertragliche Grundlage nicht benennen, so muss er die gegen Sie gerichteten Forderungen stornieren. Ebenso wenig darf dann Ihr Mobilfunkanbieter Rechnungsbeträge des Drittanbieters gegen Sie geltend machen. Ohne vertragliche Grundlage seitens des Drittanbieters muss der Mobilfunkanbieter die Beträge von der Handyrechnung entfernen.

Wie kommt ein Vertrag überhaupt zustande? Viele Verträge werden auf ganz herkömmliche Weise schriftlich abgeschlossen. Das bedeutet, dass beide Vertragsparteien sich über den Inhalt eines Vertrags einig sind, und hierüber gegenseitig ein Schriftstück unterzeichnen. Dieses enthält die Bedingungen bzgl. vertraglich geschuldeter Leistung, den Preis für die Leistung, und die vertraglichen Pflichten beider Parteien etc.

In vereinfachter Form kann ein schriftlicher Vertrag dadurch geschlossen werden, dass der Kunde einen Auftrag, ein Formular oder eine Bestellung unterzeichnet. Haben Sie beispielsweise in einer örtlichen Filiale Ihres Mobilfunkanbieters einen Handyvertrag abgeschlossen, so wurde hierzu von Ihnen ein Blatt unterzeichnet, auf dem zuvor die vertraglichen Bedingungen des Handyvertrags festgehalten wurden, und auf dem lediglich Ihr Name, Adresse, Bankverbindung usw. eingetragen wurde.

Später lässt sich anhand eines solchen schriftlichen Vertrags konkret nachweisen, wann dieser abgeschlossen wurde, von wem, und mit welchem Leistungsinhalt und Preis. Ein derartiger Vertrag liegt mit einem Drittanbieter nicht vor. Demgemäß entfällt für den jeweiligen Fremdanbieter die Möglichkeit, den Vertrag über ein Schriftstück unkompliziert nachweisen zu können.

Nach deutschem Recht können Verträge sogar mündlich abgeschlossen werden. Das Problem an mündlichen bzw. telefonischen Verträgen ist, dass ein solcher Vertragsabschluss nur schwer nachweisbar ist. Ist bei Vertragsschluss keine weitere Person als Zeuge anwesend, oder wird der telefonisch abgeschlossene Vertrag nicht aufgezeichnet, so ist ein Beweis so gut wie unmöglich. Verträge mit Fremdanbietern werden jedoch weder mündlich noch telefonisch abgeschlossen, eine Aufzeichnung erfolgt erst recht keine, so dass dem Drittanbieter diese Nachweismöglichkeit genommen wird.

So gut wie alle (berechtigten) Verträge mit Drittanbietern werden entweder online über das Internet abgeschlossen, per SMS, Kurzwahlnummer, oder direkt über das Smartphone per App. Nach deutschem Recht ist das problemlos möglich. Jedoch ergibt sich für den Drittanbieter die Schwierigkeit, dass ein derartiger Vertragsschluss nahezu überhaupt nicht nachgewiesen werden kann. Es existiert weder ein Schriftstück noch eine Sprachaufzeichnung oder eine sonstige Dokumentation, die diesen Vertrag nachweisen könnte.

Sowohl die Eingabe von Daten in ein Internet-Formular, das anklicken eines Banners oder Buttons in einer Smartphone-App, oder der Versand einer SMS an eine Kurzwahlnummer sind flüchtige Aktionen, die sich später nicht nachweisen lassen. Dennoch ist der Drittanbieter rechtlich dazu verpflichtet, einen solchen Vertragsschluss nachzuweisen, wenn er seine Forderung auf einen derartigen Vertrag per Internet, App oder SMS stützt.

Nachweispflicht des Vertrags: Vor Gericht ist es so, dass jede Partei das für sie günstige Geschehen vortragen und beweisen muss. Behauptet die eine Partei, dass sie ihre Forderung auf der Basis eines vom Kunden geschlossenen Vertrags geltend macht, so muss sie dem Gericht diesen Vertrag konkret nachweisen. Es genügt nicht, diesen Vertrag lediglich zu behaupten. Es muss geschildert werden, wann und wie der Vertrags zustande kam. Hierfür muss ein eindeutiger unwiderlegbarer Beweis vorgelegt werden.

Da es wenig Sinn macht, ein gerichtliches Klageverfahren abzuwarten, kann die Aufforderung zum Nachweis des entsprechenden Vertrags bereits jetzt außergerichtlich im Vorfeld ausgesprochen werden. Misslingt es der Gegenseite, einen Vertragsschluss nachzuweisen, so wird sie das auch vor Gericht nicht können. Forderungen, für die der vermeintliche Gläubiger keinen Vertrag vorlegen kann, müssen von dem angeblichen Schuldner nicht bezahlt werden. Insofern darf selbst der Mobilfunkanbieter einen Drittanbieter nicht auf Ihre Handyrechnung setzen, wenn hierfür keine vertragliche Grundlage nachgewiesen werden kann.

Konsequenz der Aufforderung zum Vertragsnachweis ist die, dass der Drittanbieter einsieht, dass er keinen Vertragsabschluss beweisen kann. Kann er das außergerichtlich nicht, so könnte er es auch im Rahmen eines Gerichtsverfahrens nicht. Aus diesem Grund findet bei Drittanbieterforderungen so gut wie nie ein gerichtliches Klageverfahren statt.

Widerruf des Vertrags nach §355 BGB: Im Normalfall wird der Vertrag mit einem Drittanbieter entweder über das Internet, per App, telefonischer Kurzwahlnummer oder per SMS abgeschlossen. Liegt ein unbekannter und ungewollter angeblicher Vertragsschluss vor, so behauptet der jeweilige Fremdanbieter regelmäßig, dass der Vertrag auf einem dieser Wege zustande gekommen ist. Dann aber hat der Kunde ein Widerrufsrecht nach §355 BGB. Denn hier handelt es sich um einen „Fernabsatzvertrag", also um einen Vertrag, der nicht vor Ort in einem Ladengeschäft abgeschlossen, sondern der fernmündlich auf elektronischem Weg vereinbart wurde.

Das Gesetzbuch sieht für diese Fälle ein zweiwöchiges Widerrufsrecht vor. Das bedeutet, dass der Kunde den Vertrag innerhalb von zwei Wochen widerrufen kann, und der Vertrag durch diesen Widerruf vollständig beseitigt wird, als ob er nie geschlossen wurde. Die zweiwöchige Frist beginnt zu laufen, sobald der Kunde über sein Widerrufsrecht per Widerrufsbelehrung informiert wurde.

Erhält er keine Belehrung, so läuft die Frist nicht an, der Kunde hat ein zwölf Monate und 14 Tage lang dauerndes Widerrufsrecht (§356 Absatz 3 Satz 2 BGB).

Meiner Erfahrung nach versenden Fremdanbieter so gut wie nie eine Widerrufsbelehrung an ihre Kunden, so dass der Vertragsschluss ein Jahr lang widerrufbar ist. Der in diesem Schreiben geäußerte Widerruf ist daher rechtlich wirksam, selbst wenn der angebliche vom Drittanbieter behauptete

Vertragsabschluss bereits einige Monate zurück liegt. Alleine schon aus diesem Grund wäre Ihr Mobilfunkanbieter dazu verpflichtet, die Drittanbieter-Rechnungsposten von Ihrer Handyrechnung zu entfernen, da durch den Widerruf der angebliche Vertrag rückwirkend zunichte gemacht wird.

Anfechtung wegen Täuschung nach §123 BGB: Die Anfechtung eines Vertrags bewirkt, dass dieser von Anfang an beseitigt wird. Derjenige, der den Vertrag abgeschlossen hat, oder angeblich abgeschlossen haben soll, wird nach erfolgter Anfechtung in rechtlicher Hinsicht so gestellt, als ob es den Vertrag nie gegeben hätte. Bei angeblichen Vertragsschlüssen mit Fremdanbietern ist fast immer eine Täuschung gegeben, da dem Kunden gegenüber nicht deutlich gemacht wurde, dass er einen kostenpflichtigen Vertrag abschließt. Juristen sprechen in einem solchen Fall von „Täuschung durch Unterlassen", da der Drittanbieter es unterlassen hat, den Kunden über den Vertragsschluss aufzuklären. Geraten Sie in einen kostenpflichtigen Vertrag, ohne dies zu bemerken, so liegt nahezu immer eine Täuschung vor.

Anfechtung wegen Irrtums nach §119 BGB: Aus Gründen der Vorsichtsmaßnahme empfiehlt es sich hier, neben einer Anfechtung wegen Täuschung immer auch eine Anfechtung wegen Irrtums auszusprechen. Ging beispielsweise der Kunde davon aus, dass durch Betätigung eines Buttons lediglich ein kostenloser Vertrag zustande kommt, schließt er aber tatsächlich einen kostenpflichtigen Vertrag ab, so unterliegt er einem Irrtum, welcher ihn zur Anfechtung berechtigt.

Genehmigung nach §108 BGB: Ein minderjähriges Kind ist nicht in der Lage, Verträge abzuschließen. Geschieht das dennoch, so muss zumindest ein Elternteil oder Erziehungsberechtigter die nachträgliche Genehmigung erteilen. Verweigern die Eltern die Genehmigung, so kommt kein wirksamer Vertrag zustande. Haben Sie als Elternteil herausgefunden, dass Ihr minderjähriges Kind den Vertrag mit dem Drittanbieter abgeschlossen hat, so sollten Sie unbedingt diesen Abschnitt mit in Ihr Widerspruchsschreiben aufnehmen und die Verweigerung der Genehmigung aussprechen. Dadurch fehlt es an einem wirksamen Vertrag, der Fremdanbieter darf keine Forderungen stellen, und Ihr Mobilfunkanbieter darf die jeweiligen Leistungen nicht auf Ihre Handyrechnung setzen.

Ich habe im Rahmen meiner Kanzleitätigkeit bei zahlreichen Mandaten die Feststellung machen müssen, dass Kinder zugegeben haben, das Handy für Spiele o.ä. benutzt zu haben. Dennoch konnte nicht zweifelsfrei ermittelt werden, ob dadurch tatsächlich ein kostenpflichtiger Vertrag abgeschlossen wurde. Ebenso wenig war ein eindeutiger Vertragspartner auszumachen. Das verkaufende Unternehmen tritt oftmals unter einem anderen Namen als das abrechnende Unternehmen auf. Erschien anschließend die Abrechnung eines Drittanbieters auf der Handyrechnung, so konnte nicht mit Sicherheit gesagt werden, ob dieses Fremdunternehmen die vom Kind genutzten Leistungen abrechnete.

Daher rate ich davon ab, konkrete Zugeständnisse zu machen. Eine gewisse Unsicherheit verbleibt immer, da die Drittanbieter ihr Abrechnungsmodell konsequent undurchsichtig halten. Besteht zumindest die Möglichkeit, dass Ihr minderjähriges Kind den Drittanbieterbetrag verursacht hat, so können Sie eine pauschale Verweigerung der Genehmigung aussprechen. Sie machen damit deutlich, dass Sie in jedem Fall einem evtl. Vertragsschluss die Genehmigung verweigern.

Sind Sie sich jedoch absolut sicher, dass die Rechnungsposten des Drittanbieters von Ihrem Kind verursacht wurden, so können Sie das dem Drittanbieter, als auch Ihrem Mobilfunkanbieter, gegenüber äußern und die Genehmigung verweigern. Vergleichen Sie hierzu bitte die Ausführungen in Kapitel 11.16.

Frist von zwei Wochen: Dem Drittanbieter ist eine gewisse Zeit einzuräumen, um auf Ihren Widerspruch angemessen reagieren zu können. Erhalten Sie nach zwei Wochen keine Antwort von dem Drittanbieter, so können Sie den geforderten Vertragsnachweis als gescheitert betrachten. Zudem bitten Sie den Drittanbieter innerhalb der Frist von zwei Wochen um eine Erstattung der Beträge, die dieser über Ihre Handyrechnung eingezogen hat.

Kommt es zu keiner Erstattung, so können Sie sich diesbezüglich erneut an Ihren Mobilfunkanbieter wenden. Leistet der Fremdanbieter selbst keine Erstattung, so zeigen sich viele Mobilfunkanbieter plötzlich kulant und nehmen doch noch die vom Kunden gewünschte Rückzahlung vor. Die hierzu notwendige weitere Vorgehensweise wird weiter unten im Abschnitt 2.7 geschildert.

Beendigung des Drittanbieter-Abos: Damit ein laufendes Abonnement gestoppt wird, erklären Sie dem Drittanbieter hiermit noch einmal ausdrücklich die sofortige Beendigung des Abos.

2.6 Welche Reaktionen sind nun möglich?

Drittanbieter nimmt Erstattung vor: Zeigt Ihr Schreiben Erfolg, so findet eine Erstattung der unberechtigt erhaltenen Beträge statt. Viele Drittanbieter möchten es nicht auf einen Rechtsstreit ankommen lassen und führen die Rückzahlung durch. Diese wissen selbst, dass ihr Verhalten rechtswidrig ist. Wenn Sie den gesamten zu Unrecht abgebuchten Betrag zurück bekommen haben, ist die Angelegenheit abgeschlossen. Sie besitzen keine Außenstände mehr und müssen aufgrund der Drittanbietersperre keine neuen unberechtigten Rechnungsposten auf Ihrer Mobilfunkrechnung befürchten.

Ich erlebe es als Rechtsanwalt immer wieder, dass spätestens in diesem zweiten Schritt eine Erstattung der abgebuchten Posten stattfindet. Selbst wenn sich bislang der Mobilfunkprovider im ersten Schritt noch geweigert hat, eine Rückzahlung vorzunehmen, so geschieht das dennoch oft im Rahmen des hier geschilderten Widerspruchs direkt gegen den Drittanbieter.

Drittanbieter verweigert Zahlung: Sollte das Drittanbieterunternehmen keine Erstattung vornehmen, oder sich überhaupt nicht melden, so wenden Sie sich mit Hilfe der im folgenden unter Abschnitt 2.7 geschilderten Vorgehensweise erneut an Ihren Mobilfunkanbieter. Das ist wichtig, damit dieser sieht, dass Sie bereits Kontakt mit dem Fremdanbieterunternehmen aufgenommen haben. Spätestens dann gewähren viele Mobilfunkanbieter zumindest aus Kulanz eine Erstattung der Drittanbieterbeträge.

2.7 Erneutes Anschreiben des Mobilfunkanbieters

Der nun folgende Brief fordert Ihren Mobilfunkanbieter dazu auf, eine Kulanzerstattung vorzunehmen. Er geht in die Richtung, dass Sie Ihrem Mobilfunkanbieter aufzeigen, in wieweit Sie den Drittanbieter kontaktiert haben, und dass dies leider erfolglos war. Aufgrund der ablehnenden Haltung bitten Sie den Mobilfunkanbieter um Erstattung, zumindest aus Kulanz. Eine Rückbuchung des Rechnungsbetrags nehmen Sie noch nicht vor.

Bitte nutzen Sie den folgenden Musterbrief:

Absender:
(Vorname, Name)
(Straße, Hausnummer)
(Postleitzahl, Stadt)

An
(Name Ihres Mobilfunkanbieters)
(Straße, Hausnummer)
(Postleitzahl, Stadt)

Als PDF per E-Mail an: (E-Mail-Adresse des Mobilfunkanbieters)
Per Fax an: (Faxnummer des Mobilfunkanbieters)
Per Einschreiben mit Rückschein

Kundennummer: (Ihre Kundennummer)
Rufnummer: (Ihre Handynummer)
Widerspruch gegen die Rechnung Nr. (Rechnungsnummer) vom (Rechnungsdatum)
Erneute Bitte um Erstattung von Drittanbieter-Beträgen

Sehr geehrte Damen und Herren,

bereits mit Schreiben vom (Datum) hatte ich Sie gebeten, mir die unberechtigt abgebuchten Beträge für angebliche Drittanbieterleistungen zu erstatten. Leider ist das bis heute nicht geschehen, obwohl ich Ihnen mitgeteilt habe, dass für diese Leistungen kein Vertrag gegeben ist, ich diese Leistungen nie erhalten oder in Anspruch genommen habe.

Mit Schreiben vom (Datum) habe ich mich direkt an den Drittanbieter (Name Drittanbieter) gewandt und um eine Erstattung der Beträge gebeten. Ich lege Ihnen mein Schreiben und das daraufhin ergangene Antwortschreiben des Drittanbieters vom (Datum) in Kopie anbei. Leider kam es auch hier zu keiner Erstattung. Der Drittanbieter reagierte ablehnend und verweigerte eine Rückzahlung.

Die gegenüber dem Drittanbieter geäußerten Einwendungen mache ich gem. §404 BGB hiermit auch gegen Sie geltend, da die Möglichkeit besteht, dass Sie die Drittanbieter-Forderungen bereits aufgekauft haben. Bitte beachten Sie, dass alleine durch die Äußerung des Widerrufs und der Anfechtung jegliches Drittanbieter-Vertragsverhältnis von Anfang an beseitigt wird. Ohne eine vertragliche Grundlage sind Sie zu einer Erstattung verpflichtet.

Ich bitte Sie daher noch einmal, innerhalb von zwei Wochen die Rückerstattung vorzunehmen.

Ich würde mich sehr freuen, wenn diese Angelegenheit kundenfreundlich und kulant gelöst werden könnte.

Mit freundlichen Grüßen
(Ihre Unterschrift)
(Ort, Datum)

2.8 Was bewirkt dieser Brief?

Erinnerung an das erste Schreiben: Es ist immer wichtig, auf ein bereits ergangenes Schreiben noch einmal hinzuweisen. Auf Seiten Ihres Mobilfunkanbieters bearbeiten meist verschiedene Sachbearbeiter Ihr Anliegen. Erfährt der jeweilige Bearbeiter, dass Sie schon ein erstes Schreiben in dieser Angelegenheit geschickt haben, so wird er mit diesem Absatz noch einmal speziell darauf hingewiesen und kann im Computersystem eine Überprüfung vornehmen, wie darauf von Seiten des Anbieters reagiert wurde. Ich empfehle Ihnen daher, bei jedem neuen Schreiben an Ihren Mobilfunkanbieter auch immer auf Ihre bisherigen Briefe hinzuweisen.

Hinweis auf das (erfolglose) Schreiben an den Drittanbieter: Dieser nächste Hinweis auf das an den Drittanbieter gerichtete Schreiben ist von großer Wichtigkeit. Bitte legen Sie dieses Schreiben und die Antwort des Drittanbieters unbedingt in Kopie anbei. Dadurch sieht Ihr Mobilfunkanbieter, dass Sie bereits erfolglos den Drittanbieter zur Erstattung aufgefordert haben.

In meiner Tätigkeit als Rechtsanwalt erlebe ich es immer wieder, dass der Mobilfunkanbieter spätestens dann, wenn er sieht, dass Sie sich an das Fremdunternehmen gewandt haben, und dieses keine Rückzahlung an Sie vorgenommen hat, seinem Kunden aus Kulanz mit einer Rückerstattung entgegen kommt.

Hat der Drittanbieter Ihr Schreiben verweigert und den Brief an Sie zurück gehen lassen, so legen Sie eine Kopie des zurückgesendeten Briefumschlags anbei. Auf dem Briefumschlag wird seitens der Post vermerkt, dass die Zustellung nicht möglich war oder die Briefannahme verweigert wurde. Erhalten Sie überhaupt keine Antwort vom Drittanbieter, so legen Sie nur Ihr eigenes Schreiben bei und weisen darauf hin, dass dieses bislang unbeantwortet blieb.

Geltendmachung der rechtlichen Einwendungen: Die gegenüber dem Drittanbieter geäußerten rechtlichen Einwendungen machen Sie nun auch gegenüber Ihrem Mobilfunkprovider geltend. Dazu haben Sie nach §404 BGB das Recht, denn mit großer Wahrscheinlichkeit hat Ihr Provider die Drittanbieter-Forderungen bereits aufgekauft. Rechtliche Einwendungen, die gegenüber dem Drittanbieter geäußert werden konnten, sind damit auch gegen den Mobilfunkanbieter möglich. Alleine durch die Äußerung des Widerrufs und der Anfechtung wird jegliches Drittanbieter-Vertragsverhältnis beseitigt. Besteht Ihr Mobilfunkanbieter dennoch auf den Einbehalt der Beträge, so verhält er sich rechtswidrig. Da kein Vertrag mehr besteht, wäre der Mobilfunkanbieter rechtlich dazu verpflichtet, eine Erstattung vorzunehmen.

Erneute Bitte um Erstattung mit Frist: Hier fordern Sie Ihren Mobilfunkanbieter erneut auf, Ihnen den vom Fremdanbieter zu Unrecht abgebuchten Geldbetrag zurück zu erstatten. Durch die Frist wird ein konkreter Zeitraum benannt, innerhalb dessen die Zahlung erfolgen muss. Bitte beachten Sie, dass es sich dabei um eine privat gesetzte Frist handelt, nicht um eine gesetzliche. Das heißt, nach Ablauf der Frist tritt keine automatische Rechtswirkung ein. Die Frist soll lediglich den Mobilfunkanbieter zum Handeln bewegen. Nach Ablauf der Frist können Sie aber selbst weitere rechtliche Schritte ergreifen, wie beispielsweise die Einreichung einer Kündigung.

2.9 Welche Reaktionen sind nun möglich?

Mobilfunkanbieter nimmt Erstattung vor: Im Idealfall reagiert Ihr Mobilfunkanbieter nach Erhalt des Schreibens kundenfreundlich und nimmt endlich die gewünschte Erstattung vor. Wenn Ihr Mobilfunkanbieter erkennt, dass Sie sich erfolglos an den Drittanbieter gewandt, und damit alles im Bereich Ihrer Möglichkeiten unternommen haben, kann er Sie nicht erneut an eine andere Stelle verweisen und lenkt ein. In Bezug auf den Mobilfunkprovider ist die Angelegenheit dadurch abgeschlossen.

Sollten Sie anschließend eine Zahlungsaufforderung direkt von dem Drittanbieter erhalten, so setzen Sie dieser mit dem unter Kapitel 5 abgedruckten Musterschreiben einen weiteren Widerspruch entgegen. Meist verhält es sich jedoch so, dass sich das Fremdunternehmen überhaupt nicht mehr bei Ihnen meldet. Dieses weiß, dass seine Forderungen unberechtigt sind, und lässt die Sache auf sich beruhen. Damit ist die Angelegenheit für Sie vollständig abgeschlossen.

Mobilfunkanbieter nimmt keine Erstattung vor: Verweigert Ihr Mobilfunkanbieter nach wie vor eine Erstattung, so können Sie an diesem Punkt die Angelegenheit auf sich beruhen lassen und den Vertrag wie gewohnt fortführen. Zumindest ist jetzt eine Drittanbietersperre eingetragen, so dass Sie für die Zukunft keine weiteren unberechtigten Abbuchungen befürchten müssen.

Sollten Sie mit dem abweisenden Verhalten Ihres Mobilfunkanbieters unzufrieden sein, so können Sie an diesem Punkt aber auch eine Rückbuchung der Mobilfunkrechnung über Ihre Bank vornehmen. Lassen Sie den gesamten Rechnungsbetrag zurückbuchen, und überweisen anschließend lediglich den berechtigten Teilbetrag. Den unberechtigten Anteil für die Drittanbieter-Posten behalten Sie ein.

Hierzu hätten Sie das Recht, denn Sie haben gegen die Mobilfunkrechnung einen begründeten Widerspruch eingelegt und die Teilbeträge der Drittanbieter-Positionen bestritten. Bitte beachten Sie unbedingt, dass für eine Bankrückbuchung maximal acht Wochen Zeit ab Abbuchung vorhanden ist.

Vergleichen Sie zum Vorgehen bei einer Rückbuchung die unter Kapitel 3 geschilderten Hinweise. Sie müssen nicht die dort beschriebenen Musterbriefe erneut versenden. Es reicht aus, wenn Sie die Zusatzhinweise beachten. Das gilt vor allem in Bezug auf die Mahnungen, die Ihnen Ihr Mobilfunkanbieter bei einer erfolgten Rückbuchung zukommen lassen wird. Gegen diese Mahnungen legen Sie einen weiteren Widerspruch ein und beachten die dazu beschriebenen Erläuterungen in Abschnitt 3.9.

Aufgrund des Verhaltens Ihres Mobilfunkproviders können Sie nun sogar eine außerordentliche vorzeitige Kündigung erklären. Bitte beachten Sie hierzu die unter Kapitel 4 geschilderte Vorgehensweise. Durch den dort abgedruckten Musterbrief geben Sie Ihrem Anbieter noch einmal die Chance, eine Erstattung der Drittanbieter-Beträge vorzunehmen. Geschieht das nicht, so wird die außerordentliche Kündigung wirksam, und der Vertrag gilt als beendet.

3 Widerspruch Mobilfunkrechnung mit Rückbuchung (Option 2)

Unter diesem Kapitel erfahren Sie, wie Sie vorgehen können, wenn Sie die zu Unrecht berechneten Drittanbieter-Beträge zeitnah zurück erhalten möchten. Hierzu legen Sie einen Widerspruch gegen die Handyrechnung ein, und setzen Ihrem Mobilfunkanbieter eine Frist zur Rückerstattung der Drittanbieter-Posten.

Nimmt Ihr Provider keine Erstattung vor, so lassen Sie direkt über Ihre Bank eine Rückbuchung des gesamten Rechnungsbetrags vornehmen. Anschließend überweisen Sie lediglich den berechtigten Anteil (Grundgebühr, Telefonate, SMS, Flats etc.) und behalten den unberechtigten Anteil (Drittanbieter) zurück. Durch die vorherige Fristsetzung geben Sie Ihrem Provider die Möglichkeit, die fehlerhafte Rechnung selbst zu korrigieren.

Im Unterschied zur ersten Option buchen Sie hier von Anfang an den gesamten Betrag der Handyrechnung von Ihrem Bankkonto zurück. Das hat den Vorteil, dass Sie umgehend die zu Unrecht abgebuchten Beträge zurück erhalten. Es besteht aber die Gefahr, dass Ihr Provider auf die Rückbuchung unangemessen reagiert und Sie zur Rückzahlung auffordert, den Anschluss teilweise sperrt, oder Ihnen sogar die Vertragskündigung erklärt. Rechtmäßig wäre das nicht, aber leider verhalten sich Mobilfunkanbieter manchmal so. Die hier beschriebene Option 2 ist für Sie dann sinnvoll, wenn Sie das zu Unrecht abgebuchte Geld so schnell wie möglich zurück erhalten möchten, oder wenn es sich um höhere Beträge handelt, und Sie den Vertrag nicht unbedingt beibehalten wollen.

Da Ihr Mobilfunkanbieter den unberechtigten Rechnungsposten des Drittanbieters auf Ihre Handyrechnung gesetzt hat, ist dieser Ihr erster Ansprechpartner. Bitte wenden Sie sich daher zunächst schriftlich an den Mobilfunkanbieter, und fordern Sie ihn zur Stornierung der Drittanbieterbeträge auf. Da es sich um die Geltendmachung von Forderungen eines fremden Unternehmens handelt, wäre Ihr Mobilfunkanbieter verpflichtet, die Rechnungspositionen der Drittanbieterfirma von der Handyrechnung zu entfernen und Ihnen zu erstatten.

Anschließend müsste dem Drittanbieter durch Ihren Mobilfunkprovider eine Mitteilung gemacht werden, dass den berechneten Beträgen widersprochen wurde. Schließlich sollte Ihr Mobilfunkanbieter, sofern er seriös und rechtmäßig handelt, eine korrigierte Rechnung ohne Drittanbieterpositionen erstellen, oder Ihnen zumindest eine Gutschrift über den Drittanbieterbetrag auf der nächsten Handyrechnung erteilen.

3.1 Musterbrief an den Mobilfunkanbieter

Mit dem folgenden Musterbrief teilen Sie Ihrem Mobilfunkanbieter mit, dass Sie das Fremdunternehmen nicht kennen, keinen Vertrag mit diesem abgeschlossen und keine Leistungen in Anspruch genommen haben. Gleichzeitig bitten Sie um Stornierung der Drittanbieteranteile und um eine Korrektur der Handyrechnung. Für den Fall, dass Ihren Wünschen nicht nachgekommen wird, kündigen Sie die Rückbuchung des Rechnungsbetrags an.

Den kursiv gedruckten Text des Musterbriefs nehmen Sie bitte als Vorlage für Ihr Schreiben. An den Stellen, an denen Wörter in Klammern gesetzt sind, fügen Sie Ihre eigenen Angaben bzw. Daten ein, wie beispielsweise Adressangaben, Kundendaten, Datumsangaben oder Geldbeträge.

Absender:
(Vorname, Name)
(Straße, Hausnummer)
(Postleitzahl, Stadt)

An
(Name Ihres Mobilfunkanbieters)
(Straße, Hausnummer)
(Postleitzahl, Stadt)

Als PDF per E-Mail an: (E-Mail-Adresse des Mobilfunkanbieters)
Per Fax an: (Faxnummer des Mobilfunkanbieters)
Per Einschreiben mit Rückschein

Kundennummer: (Ihre Kundennummer)
Rufnummer: (Ihre Handynummer)
Widerspruch gegen die Rechnung Nr. (Rechnungsnummer) vom (Rechnungsdatum)
Bitte um Stornierung der Drittanbieterpositionen
Rückbuchung der unberechtigten Teilbeträge

Sehr geehrte Damen und Herren,

Sie rechnen auf meiner Mobilfunkrechnung (Rechnungsnummer) vom (Rechnungsdatum) Leistungen des Drittanbieters (Name des Drittanbieters) in Höhe von insgesamt (Betrag) ab, welche unberechtigt sind. Ich lege daher gegen diesen Teilbetrag der Rechnung Widerspruch ein.

Bitte stornieren Sie diesen Betrag innerhalb von zwei Wochen ab Erhalt dieses Schreibens und erstellen eine korrigierte Rechnung, ohne Berechnung der Drittanbieter-Anteile. Sollte das nicht geschehen, so werde ich nach Ablauf der Frist den Gesamtbetrag der Rechnung über meine Bank zurückbuchen lassen und Ihnen anschließend lediglich den berechtigten Teilbetrag über (Teilbetrag) überweisen, ohne die bestrittenen Beträge des Drittanbieters.

(Nutzen Sie diesen Absatz, falls bereits auf früheren Rechnungen Drittanbieterleistungen unberechtigt abgerechnet wurden): Der Widerspruch bezieht sich zugleich auf die vorhergehenden Rechnungen, auf denen Sie diesen Drittanbieter unberechtigt abgerechnet haben. (Hier schildern Sie kurz, am besten in Form einer Auflistung, auf welchen Rechnungen welche Drittanbieter abgerechnet wurden, und mit welchen Beträgen. Sollte die Abbuchung von Ihrem Konto noch nicht länger als acht Wochen alt sein, so können Sie auch über diese Rechnungen eine Rückbuchung durchführen lassen. Beschreiben Sie an dieser Stelle genau, welche Rechnungen Sie rückbuchen und was Sie anschließend überweisen.)

Sie haben Leistungen des Drittanbieters in Rechnung gestellt, obwohl ich von diesem Anbieter weder Dienste in Anspruch genommen, noch Verträge mit diesem Unternehmen abgeschlossen habe. Insofern bitte ich Sie zunächst um eine Beschreibung, welche konkreten Leistungen der Drittanbieter mir gegenüber erbracht hat. Zudem bitte ich Sie um den Nachweis der vertraglichen Grundlage. Schon jetzt weise ich Sie darauf hin, dass alleine die Behauptung, der Vertrag wurde online im Internet oder über eine App abgeschlossen, keinen Beweis für eine tatsächliche vertragliche Grundlage darstellt. Bitte beachten Sie, dass der Drittanbieter den Vertrag behauptet, insoweit dazu verpflichtet ist, diesen nachzuweisen. Lediglich die Behauptung eines Vertrages reicht nicht aus, um daraus Forderungen ableiten zu können. Da meines Wissens nach ein solcher Vertrag nicht abgeschlossen wurde, gehe ich davon aus, dass der Drittanbieter keinen vorlegen kann.

Da davon auszugehen ist, dass Sie die Forderungen des Drittanbieters im Rahmen einer Forderungsabtretung bereits aufgekauft haben, mache ich die folgenden rechtlichen Einwendungen nach §404 BGB gegen Sie geltend:

Hiermit erkläre ich Ihnen den Widerruf des Vertrags nach §355 BGB. Da ich bislang keine ordnungsgemäße Widerrufsbelehrung erhalten habe, ist die 14tägige Widerrufsfrist noch nicht abgelaufen, ein Widerruf ist mithin innerhalb von zwölf Monaten und 14 Tagen möglich und wirksam, §356 Absatz 3 Satz 2 BGB.

Rein vorsorglich erkläre ich Ihnen hiermit die Anfechtung wegen Täuschung nach §123 Absatz 1 BGB. Wenn das Drittanbieter-Unternehmen behauptet, dass ich einen kostenpflichtigen Vertrag geschlossen habe, gleichzeitig aber die notwendigen vertraglichen Grundlagen wie beispielsweise den Preis, nicht ausreichend darstellt, so dass Kunden überhaupt nicht erkennen können, dass ein kostenpflichtiger Vertrag abgeschlossen wird, so liegt hier möglicherweise der Tatbestand der Täuschung vor.

Zusätzlich wird hiermit die Anfechtung wegen Irrtums nach §119 BGB erklärt, da ich einen solchen, von dem Drittanbieter behaupteten Vertrag, nicht abschließen wollte.

(Haben Sie ein minderjähriges Kind, so nutzen Sie zusätzlich den folgenden Absatz in Ihrem Schreiben): Sollte der von Ihnen behauptete Drittanbieter-Vertrag von meinem minderjährigen Kind geschlossen worden sein, so wird hiermit die elterliche erforderliche Genehmigung nach §108 Absatz 1 BGB verweigert. Mir ist bislang nicht bekannt, dass mein minderjähriges Kind einen Vertrag mit dem Drittanbieter abgeschlossen hat. Sollte das dennoch der Fall sein, so liegt aufgrund der fehlenden Genehmigung zwischen dem Drittanbieter und der minderjährigen Person kein vertragliches Verhältnis vor. Ich verweise hierzu auf das Urteil des Landgerichts Saarbrücken vom 22.06.2011 (Az. 10 S 60/10), in dem die Möglichkeit zur Verweigerung der Genehmigung den Eltern eindeutig zugestanden wird.

Rein vorsorglich widerrufe ich hiermit die Ihnen erteilte Bankeinzugsermächtigung. Bitte buchen Sie ab sofort keine Beträge mehr von meinem Konto ab, sondern lassen Sie mir die entsprechenden Rechnungen zur Überweisung zukommen.

Sollten Sie eine Sperrung veranlassen, so werde ich ab dem Zeitpunkt der Sperrung keine Zahlungen mehr an Sie leisten.

Ebenso rein vorsorglich weise ich Sie darauf hin, dass eine widersprochene Forderung nicht an die Schufa oder an andere Auskunfteien gemeldet werden darf.

Sollten Sie die unberechtigten Drittanbieter-Forderungen gegen mich geltend machen, so geben Sie diese Forderungen bitte nicht an ein Inkassounternehmen ab, und veranlassen Sie keine weiteren Mahnungen durch eine beauftragte Rechtsanwaltskanzlei oder ein gerichtliches Mahnbescheidsverfahren.

Weiterhin bitte ich Sie, für die Zukunft eine Drittanbieter-Sperre nach §45d TKG einzurichten, damit keine weiteren unberechtigten Gebühren von Drittanbietern über meine Mobilfunkrechnung abgerechnet werden. Ich versichere Ihnen hiermit ausdrücklich, dass ich nur mit Ihnen in einem Vertragsverhältnis stehe. Ich habe keine Verträge mit Drittanbietern abgeschlossen. Bitte beenden Sie jegliche evtl. noch laufenden Drittanbieter-Abonnements und setzen keine neuen Fremdanbieter-Rechnungsposten auf meine Rechnung.

(Sollte der Name und die deutsche Adresse des Drittanbieters noch nicht in Ihrer Handyrechnung aufgeführt sein, so fügen Sie den folgenden Absatz hinzu:) Leider teilen Sie mir in Ihrer Rechnung nicht den Namen und die Kontaktdaten des Drittanbieters mit. Nach §45h Absatz 1 TKG und §45p

Absatz 1 TKG sind Sie dazu verpflichtet, mir die vollständigen Anschriftdaten zu benennen, inklusive einer deutschen Kontaktadresse.

Ich würde mich sehr freuen, wenn diese Angelegenheit kundenfreundlich und kulant gelöst werden könnte.

Mit freundlichen Grüßen
(Ihre Unterschrift)
(Ort, Datum)

3.2 Was bewirkt dieser Brief?

Das Ziel dieses Briefs an Ihren Mobilfunkanbieter liegt darin, Ihrem Anbieter die unberechtigte Abbuchung von Fremdleistungen mitzuteilen. Durch den Widerspruch gegen die einzelnen unberechtigten Abrechnungsposten auf Ihrer Handyrechnung wird der Mobilfunkanbieter aufgefordert, eine Erstattung an Sie vorzunehmen. Im folgenden möchte ich Ihnen den Inhalt des Schreibens Absatz für Absatz erklären:

Widerspruch gegen die Abrechnung der Drittanbieterleistungen: Ihr Mobilfunkanbieter geht zunächst davon aus, dass die Ihnen zugestellte Handyrechnung korrekt ist, und Sie zur vollständigen Bezahlung verpflichtet sind. Ihr Mobilfunkanbieter führt keine Einzelüberprüfung durch, die Rechnung wird automatisiert per Computer erstellt und an Sie versandt. Erst durch den Widerspruch wird Ihr Anbieter überhaupt darauf aufmerksam gemacht, dass mit der Rechnung etwas nicht stimmt. Erst dann nimmt sich ein Sachbearbeiter Ihre Handyrechnung vor und überprüft diese eingehend.

Zudem verhindern Sie durch den Widerspruch grundsätzlich eine Sperrung Ihres Anschlusses. Eine Anschlusssperrung darf nur dann durchgeführt werden, wenn ein Zahlungsrückstand von mehr als 75 Euro entstanden ist, und es sich dabei um nicht-widersprochene Beträge handelt. Haben Sie einen Widerspruch eingelegt, wie hier beschrieben, so darf Ihr Provider keine Sperrung vornehmen. Das wäre ein Gesetzesverstoß. Leider halten sich nicht alle Mobilfunkanbieter an das Gesetz und nehmen manchmal eine Sperrung vor, obwohl diese eindeutig rechtswidrig ist.

Für einen Rechnungswiderspruch steht Ihnen gemäß §45i Absatz 1 des TKG (Telekommunikationsgesetz) ein Zeitraum von acht Wochen zur Verfügung. Diese Frist beginnt mit Erhalt der Rechnung. Es kommt nicht auf das Rechnungsdatum an, sondern auf den tatsächlichen Zugang bei Ihnen zuhause. Herrscht Uneinigkeit über den Fristbeginn, so müsste Ihr Mobilfunkanbieter beweisen, wann genau Sie die Rechnung erhalten haben.

Bitte nehmen Sie trotz der acht Wochen Zeit den Rechnungswiderspruch so bald wie möglich vor, da Sie für eine Bankrückbuchung des Rechnungsbetrags ebenfalls lediglich acht Wochen Zeit haben. Sollte Ihr Mobilfunkanbieter keine freiwillige Erstattung vornehmen, so wird die Bankrückbuchung wichtig.

Bitte um Stornierung innerhalb von zwei Wochen: Mit diesem Absatz fordern Sie Ihren Mobilfunkanbieter dazu auf, den für den Drittanbieter abgerechneten Teilbetrag zu stornieren, also von der Rechnung zu entfernen und Ihnen den Betrag zu ersetzen. In manchen Fällen kann der Mobilfunkanbieter keine Stornierung und Rechnungsneuerstellung vornehmen, es erfolgt dann eine Gutschrifterteilung auf der Folgerechnung. Diese Gutschrift wird in Höhe des vom Drittanbieter berechneten Betrags gewährt und mit Ihren normalen Rechnungsbeträgen verrechnet, so dass sich für Sie das gleiche Resultat einstellt, als ob Ihnen der Betrag direkt ausgezahlt worden wäre.

Setzen Sie Ihrem Mobilfunkanbieter eine ausreichend lange Frist, um auf Ihr Schreiben reagieren zu können. Erfolgt nach Ablauf der zwei Wochen weder eine Erstattung der zu unrecht abgebuchten

Beträge, oder noch nicht einmal eine Reaktion, so nehmen Sie die Rückbuchung der gesamten Rechnung direkt über Ihre Bank vor. Anschließend überweisen Sie lediglich den berechtigten Teilbetrag (Grundgebühr, Telefonate, SMS, Flats etc.) und behalten den unberechtigten Anteil (Drittanbieter) zurück.

Frühere Rechnungen: Befinden sich die Drittanbieter-Rechnungsposten bereits seit längerer Zeit auf Ihren Rechnungen, so legen Sie mit diesem Absatz zusätzlich Widerspruch gegen die früheren Abrechnungen ein. Bitte stellen Sie hierzu eine kleine Liste auf, in der Sie das Rechnungsdatum, den Drittanbieter und den abgebuchten Betrag kennzeichnen. So weiß Ihr Mobilfunkanbieter genau, auf welche Einzelleistungen sich Ihr Rechnungswiderspruch bezieht.

Nachweis der vertraglichen Grundlage: Ein Drittanbieter darf Ihnen nur dann eine Leistung in Rechnung stellen, wenn hierfür ein Vertrag abgeschlossen wurde. Ohne einen Vertrag ist es in keinem Fall möglich, dass Sie eine Zahlung an den Drittanbieter erbringen müssen. Kann die vertragliche Grundlage nicht benannte werden, so ist die Forderung zu stornieren.

Wie kommt ein Vertrag überhaupt zustande? Viele Verträge werden auf ganz herkömmliche Weise schriftlich abgeschlossen. Das bedeutet, dass beide Vertragsparteien sich über den Inhalt eines Vertrags einig sind, und hierüber gegenseitig ein Schriftstück unterzeichnen. Dieses enthält die Bedingungen bzgl. vertraglich geschuldeter Leistung, den Preis für die Leistung, und die vertraglichen Pflichten beider Parteien etc.

In vereinfachter Form kann ein schriftlicher Vertrag auch dadurch geschlossen werden, dass der Kunde einen Auftrag, ein Formular oder eine Bestellung unterzeichnet. Haben Sie beispielsweise in einer örtlichen Filiale Ihres Mobilfunkanbieters einen Handyvertrag abgeschlossen, so wurde hierzu von Ihnen ein Blatt unterzeichnet, auf dem zuvor die vertraglichen Bedingungen des Handyvertrags festgehalten wurden, und auf dem lediglich Ihr Name, Adresse, Bankverbindung usw. eingetragen wurde.

Später lässt sich anhand eines solchen schriftlichen Vertrags konkret nachweisen, wann dieser abgeschlossen wurde, von wem, und mit welchem Leistungsinhalt und Preis. Ein derartiger Vertrag liegt mit einem Drittanbieter nicht vor. Demgemäß entfällt für den jeweiligen Fremdanbieter die Möglichkeit, den Vertrag über ein Schriftstück unkompliziert nachweisen zu können.

Nach deutschem Recht können Verträge sogar mündlich abgeschlossen werden. Das Problem an mündlichen bzw. telefonischen Verträgen ist, dass ein solcher Vertragsabschluss nur schwer nachweisbar ist. Ist bei Vertragsschluss keine weitere Person als Zeuge anwesend, oder wird der telefonisch abgeschlossene Vertrag nicht aufgezeichnet, so ist ein Beweis so gut wie unmöglich. Verträge mit Fremdanbietern werden jedoch weder mündlich noch telefonisch abgeschlossen, eine Aufzeichnung erfolgt erst recht keine, so dass dem Drittanbieter diese Nachweismöglichkeit genommen wird.

So gut wie alle (berechtigten) Verträge mit Drittanbietern werden entweder online über das Internet abgeschlossen, per SMS, Kurzwahlnummer, Telefonanruf oder direkt über das Smartphone per App. Nach deutschem Recht ist das problemlos möglich. Jedoch ergibt sich für den Drittanbieter die Schwierigkeit, dass ein derartiger Vertragsschluss nahezu überhaupt nicht nachgewiesen werden kann. Es existiert weder ein Schriftstück noch eine Sprachaufzeichnung oder eine sonstige Dokumentation, die diesen Vertrag nachweisen könnte.

Sowohl die Eingabe von Daten in ein Internet-Formular, das anklicken eines Banners oder Buttons in einer Smartphone-App, oder der Versand einer SMS an eine Kurzwahlnummer sind flüchtige Aktionen, die sich später nicht nachweisen lassen. Dennoch ist der Drittanbieter rechtlich dazu verpflichtet, einen solchen Vertragsschluss nachzuweisen, wenn er seine Forderung auf einen derartigen Vertrag per Internet, App oder SMS stützt.

Vor Gericht ist es so, dass jede Partei das für sie günstige Geschehen vortragen und beweisen muss. Behauptet die eine Partei, dass sie ihre Forderung auf der Basis eines vom Kunden geschlossenen Vertrags geltend macht, so muss sie dem Gericht diesen Vertrag konkret nachweisen. Es genügt nicht, diesen Vertrag lediglich zu behaupten. Es muss geschildert werden, wann und wie der Vertrags zustande kam. Hierfür muss ein eindeutiger unwiderlegbarer Beweis vorgelegt werden.

Da es wenig Sinn macht, ein gerichtliches Klageverfahren abzuwarten, kann die Aufforderung zum Nachweis des entsprechenden Vertrags bereits jetzt außergerichtlich im Vorfeld ausgesprochen werden. Misslingt es der Gegenseite, einen Vertragsschluss nachzuweisen, so wird sie das auch vor Gericht nicht können. Forderungen, für die der vermeintliche Gläubiger keinen Vertrag vorlegen kann, müssen von dem angeblichen Schuldner nicht bezahlt werden. Insofern darf selbst der Mobilfunkanbieter einen Drittanbieter nicht auf Ihre Handyrechnung setzen, wenn hierfür keine vertragliche Grundlage nachgewiesen werden kann.

Geltendmachung der rechtlichen Einwendungen: Die gegenüber dem Drittanbieter möglichen rechtlichen Einwendungen können Sie auch gegenüber Ihrem Mobilfunkprovider geltend machen. Dazu haben Sie nach §404 BGB das Recht, denn mit großer Wahrscheinlichkeit hat Ihr Provider die Drittanbieter-Forderungen bereits aufgekauft. Alleine durch die Äußerung des Widerrufs und der Anfechtung wird jegliches Drittanbieter-Vertragsverhältnis beseitigt. Besteht Ihr Mobilfunkanbieter dennoch auf den Einbehalt der Beträge, so verhält er sich rechtswidrig. Da kein Vertrag mehr besteht, wäre der Mobilfunkanbieter rechtlich dazu verpflichtet, eine Erstattung vorzunehmen.

Widerruf des Vertrags nach §355 BGB: Im Normalfall wird der Vertrag mit einem Drittanbieter entweder über das Internet, per App, telefonischer Kurzwahlnummer oder per SMS abgeschlossen. Liegt ein unbekannter und ungewollter angeblicher Vertragsschluss vor, so behauptet der jeweilige Fremdanbieter regelmäßig, dass der Vertrag auf einem dieser Wege zustande gekommen ist. Dann aber hat der Kunde ein Widerrufsrecht nach §355 BGB. Denn hier handelt es sich um einen „Fernabsatzvertrag", also um einen Vertrag, der nicht vor Ort in einem Ladengeschäft abgeschlossen, sondern der fernmündlich auf elektronischem Weg vereinbart wurde.

Das Gesetzbuch sieht für diese Fälle ein zweiwöchiges Widerrufsrecht vor. Das bedeutet, dass der Kunde den Vertrag innerhalb von zwei Wochen widerrufen kann, und der Vertrag durch diesen Widerruf vollständig beseitigt wird, als ob er nie geschlossen wurde. Die zweiwöchige Frist beginnt zu laufen, sobald der Kunde über sein Widerrufsrecht per Widerrufsbelehrung informiert wurde. Erhält er keine Belehrung, so läuft die Frist nicht an, der Kunde hat ein zwölf Monate und 14 Tage lang dauerndes Widerrufsrecht (§356 Absatz 3 Satz 2 BGB).

Meiner Erfahrung nach versenden Fremdanbieter so gut wie nie eine Widerrufsbelehrung an ihre Kunden, so dass der Vertragsschluss ein Jahr lang widerrufbar ist. Der in diesem Schreiben geäußerte Widerruf ist daher rechtlich wirksam, selbst wenn der angebliche vom Drittanbieter behauptete Vertragsabschluss bereits einige Monate zurück liegt. Alleine schon aus diesem Grund wäre Ihr Mobilfunkanbieter dazu verpflichtet, die Drittanbieter-Rechnungsposten von Ihrer Handyrechnung zu entfernen, da durch den Widerruf der angebliche Vertrag rückwirkend zunichte gemacht wird.

Erhalten Sie von Ihrem Mobilfunkanbieter die Antwort, dass ein Vertrag mit dem Drittanbieter bestehen würde, da Sie diesen per App oder SMS oder Internetbutton beauftragt haben, so schießt Ihr Mobilfunkprovider in diesem Moment ein Eigentor. Denn durch die Behauptung eines auf diese Weise geschlossenen Vertrags wird automatisch der von Ihnen geäußerte Widerruf wirksam, so dass der Vertrag im Moment der Darlegung durch Ihren Provider schon wieder zunichte gemacht wird.

Anfechtung wegen Täuschung nach §123 BGB: Die Anfechtung eines Vertrags bewirkt, dass dieser von Anfang an beseitigt wird. Derjenige, der den Vertrag abgeschlossen hat, oder angeblich abgeschlossen haben soll, wird nach erfolgter Anfechtung in rechtlicher Hinsicht so gestellt, als ob es den Vertrag nie gegeben hätte. Bei angeblichen Vertragsschlüssen mit Fremdanbietern ist fast immer eine Täuschung gegeben, da dem Kunden gegenüber nicht deutlich gemacht wurde, dass er einen kostenpflichtigen Vertrag abschließt. Juristen sprechen in einem solchen Fall von „Täuschung durch Unterlassen", da der Drittanbieter es unterlassen hat, den Kunden über den Vertragsschluss aufzuklären. Geraten Sie in einen kostenpflichtigen Vertrag, ohne dies zu bemerken, so liegt nahezu immer eine Täuschung vor.

Anfechtung wegen Irrtums nach §119 BGB: Aus Gründen der Vorsichtsmaßnahme empfiehlt es sich, neben einer Anfechtung wegen Täuschung immer auch eine Anfechtung wegen Irrtums auszusprechen. Ging beispielsweise der Kunde davon aus, dass durch Betätigung eines Buttons lediglich ein kostenloser Vertrag zustande kommt, schließt er aber tatsächlich einen kostenpflichtigen Vertrag ab, so unterliegt er einem Irrtum, welcher ihn zur Anfechtung berechtigt.

Genehmigung nach §108 BGB: Ein minderjähriges Kind ist nicht in der Lage, Verträge abzuschließen. Geschieht das dennoch, so muss zumindest ein Elternteil oder Erziehungsberechtigter die nachträgliche Genehmigung erteilen. Verweigern die Eltern die Genehmigung, so kommt kein wirksamer Vertrag zustande. Haben Sie als Elternteil herausgefunden, dass Ihr minderjähriges Kind den Vertrag mit dem Drittanbieter abgeschlossen hat, so sollten Sie unbedingt diesen Abschnitt mit in Ihr Widerspruchsschreiben aufnehmen und die Verweigerung der Genehmigung aussprechen. Dadurch fehlt es an einem wirksamen Vertrag, der Fremdanbieter darf keine Forderungen stellen, und Ihr Mobilfunkanbieter darf die jeweiligen Leistungen nicht auf Ihre Handyrechnung setzen.

Ich habe im Rahmen meiner Kanzleitätigkeit bei zahlreichen Mandaten die Feststellung machen müssen, dass Kinder zugegeben haben, das Handy für Spiele o.ä. benutzt zu haben. Dennoch konnte nicht zweifelsfrei ermittelt werden, ob dadurch tatsächlich ein kostenpflichtiger Vertrag abgeschlossen wurde. Ebenso wenig war ein eindeutiger Vertragspartner auszumachen. Das verkaufende Unternehmen tritt oftmals unter einem anderen Namen als das abrechnende Unternehmen auf. Erschien anschließend die Abrechnung eines Drittanbieters auf der Handyrechnung, so konnte nicht mit Sicherheit gesagt werden, ob dieses Fremdunternehmen die vom Kind genutzten Leistungen abrechnete.

Daher rate ich davon ab, konkrete Zugeständnisse zu machen. Eine gewisse Unsicherheit verbleibt immer, da die Drittanbieter ihr Abrechnungsmodell konsequent undurchsichtig halten. Besteht zumindest die Möglichkeit, dass Ihr minderjähriges Kind den Drittanbieterbetrag verursacht hat, so können Sie eine pauschale Verweigerung der Genehmigung aussprechen. Sie machen damit deutlich, dass Sie in jedem Fall einem evtl. Vertragsschluss die Genehmigung verweigern.

Sind Sie sich jedoch absolut sicher, dass die Rechnungsposten des Drittanbieters von Ihrem Kind verursacht wurden, so können Sie das dem Drittanbieter, als auch später Ihrem Mobilfunkanbieter, gegenüber äußern und die Genehmigung verweigern. Vergleichen Sie hierzu bitte die Ausführungen in Kapitel 11.16.

Widerruf Bankeinzugsermächtigung: Haben Sie Ihrem Mobilfunkanbieter die Ermächtigung zum Lastschrifteinzug erteilt, so können Sie diese hiermit widerrufen. Bei den meisten Handyverträgen wird ein derartiger Lastschrifteinzug abgeschlossen. Damit hat Ihr Anbieter die Möglichkeit, den jeweils aktuellen Rechnungsbetrag von Ihrem Konto einzuziehen. Das hat den Nachteil, dass auch unberechtigte und zu hohe Rechnungsbeträge abgebucht werden können. Sie müssen dann umständlich den Gesamtbetrag über Ihre Bank zurückbuchen lassen und anschließend den berechtigten Teilbetrag an den Mobilfunkbetreiber überweisen.

Einfacher ist es, wenn Sie den monatlichen Rechnungsbetrag selbst an Ihren Mobilfunkanbieter überweisen. Mit diesem Absatz widerrufen Sie die Einzugsermächtigung und erhalten in Zukunft die monatliche Rechnung per Post oder per E-Mail. Das kann selbstverständlich wieder rückgängig gemacht werden. Im Regelfall können Sie über die Homepage des Mobilfunkanbieters wieder auf Lastschrifteinzug umstellen.

Sperrung: Durch den mit Ihrem Mobilfunkanbieter abgeschlossenen Vertrag haben Sie ein Recht auf Nutzung eines funktionierenden Handyanschlusses. Verhängt der Anbieter eine unberechtigte Sperrung, so können Sie diesen nicht mehr nutzen, müssen folglich auch keine Gebühren an den Anbieter bezahlen. Kommt es zu einer unberechtigten Sperrung, so stellen Sie die weiteren Überweisungen ein.

Hinweis auf Schufa: Eine widersprochene Forderung darf nicht in die Schufa eingetragen werden. Im Normalfall geschieht das nicht, derartige Forderungen werden erst gar nicht an die Schufa oder an andere Auskunfteien gemeldet. Vorsichtshalber wird der Mobilfunkanbieter noch einmal extra darauf hingewiesen, um die Nachteile eines Schufa-Negativeintrags von vorneherein auszuschließen. Ich beobachte in meiner Tätigkeit als Rechtsanwalt, dass sich die Unternehmen nahezu immer an diese Vorgabe halten. Das heißt, ist gegen eine Forderung Widerspruch eingelegt, so erfolgt keine Schufa-Meldung. Sollte es versehentlich zu einem Schufa-Negativeintrag kommen, so kann dieser durch Vorlage des Widerspruchsschreibens an die Schufa unkompliziert wieder gelöscht werden.

Widerspruch gegen weitere Mahntätigkeit: Hier weisen Sie darauf hin, dass Sie der Forderung dauerhaft widersprechen. Es würde wenig bringen, wenn der Mobilfunkanbieter immer wieder weitere Mahnschreiben an Sie verschickt, oder sogar ein Inkassobüro oder eine Rechtsanwaltskanzlei mit dem Einzug der Forderungen beauftragen. Dadurch entstehen weitere Kosten, die vermieden werden können.

Beauftragt der Anbieter ein Inkassounternehmen oder eine Rechtsanwaltskanzlei, die Ihnen weitere außergerichtliche Mahnungen zukommen lassen, und hierfür Gebühren in Rechnung stellen, so sind diese unberechtigt.

Aufgrund Ihres Widerspruchs haben Sie deutlich gemacht, dass weitere Mahnungen unnötig sind, die Gebühren hierfür hätten vermieden werden können. Nach §254 BGB ist jede Vertragspartei dazu verpflichtet, unnötigen Schaden von der anderen Seite abzuwenden. Entstehen durch die Mahntätigkeit Kosten, die vermeidbar waren, so wäre es unrechtmäßig, Ihnen diese später in Rechnung zu stellen.

Einrichten einer Drittanbietersperre: Inzwischen ist jeder Mobilfunkanbieter verpflichtet, für seine Kunden auf Wunsch eine Sperrung für Drittanbieter einzurichten. Das heißt, nach Einrichten der Sperre können auf der Handyrechnung nur noch Leistungen des eigenen Anbieters abgerechnet werden. Fremdfirmen dürfen sich ihre Leistungen nicht mehr darüber bezahlen lassen. Eine solche Sperre bietet für den Kunden höchstmöglichen Schutz und verhindert für die Zukunft, dass weitere unberechtigte Beträge geltend gemacht werden.

Die rechtliche Grundlage hierfür findet sich in §45d Absatz 3 TKG. Diese Vorschrift verpflichtet den Mobilfunkanbieter, eine Sperre einzurichten. Es besteht kein Wahlrecht des Anbieters, er muss auf Kundenwunsch tätig werden. §45d Absatz 2 TKG gewährt Ihnen zusätzlich das Recht, bestimmte Rufnummernbereiche sperren zu lassen, beispielsweise teure 0900er-Nummern.

Benennung der Drittanbieter-Kontaktdaten: Ihr Mobilfunkanbieter ist gesetzlich dazu verpflichtet, in der Rechnung die konkreten Leistungen eines jeden Drittanbieters zu benennen. Zudem muss Ihnen eine kostenlose Rufnummer zur Verfügung gestellt werden, unter der Sie den Namen und die

Anschrift des Drittanbieters in Erfahrung bringen können. Hat das Fremdunternehmen seinen Sitz im Ausland, so muss Ihnen unter der kostenlosen Rufnummer die Auskunft über eine Vertretung innerhalb Deutschlands benannt werden. Die Rechtsgrundlagen hierfür finden sich in §45h Absatz 1 TKG und §45p Absatz 1 TKG. Neben der Möglichkeit, die Kontaktdaten telefonisch zu erfragen, kann das, wie hier, auch schriftlich erfolgen.

3.3 Welche Reaktionen sind nun möglich?

Stornierung der Drittanbieter-Beträge: Im Idealfall zeigt sich Ihr Mobilfunkanbieter kundenfreundlich und nimmt die Reklamation ernst. Sie erhalten eine Bestätigung über die Stornierung der zu Unrecht abgebuchten Beträge des Fremdunternehmens. Damit ist die Angelegenheit in Bezug auf Ihren Mobilfunkanbieter abgeschlossen. Durch die Erstattung der Drittanbieter-Beträge kommt der Mobilfunkanbieter Ihren Forderungen nach, so dass Ihrerseits keine weiteren Aktionen notwendig sind. Die angekündigte Bankrückbuchung führen Sie nicht mehr durch.

Es kann sein, dass Sie nach einiger Zeit direkt von dem Drittanbieter eine Rechnung erhalten. Wie Sie dieser widersprechen, lesen Sie weiter unten in Kapitel 5. Bitte machen Sie sich deswegen keine Sorgen, im Normalfall werden Sie keine Rechnung direkt vom Drittanbieter erhalten. Ich habe in meiner Kanzlei die Erfahrung gemacht, dass die Fremdunternehmen sich nach einer solchen Stornierung kaum noch selbst beim Kunden melden, da diese genau wissen, dass ihre Forderungen unberechtigt sind.

Mobilfunkanbieter verweigert die Stornierung: Im schlechtesten Fall verweigert Ihr Mobilfunkanbieter die Stornierung der zu Unrecht abgerechneten Beträge und verweist Sie auf den beteiligten Drittanbieter.

Ist das der Fall, so führen Sie nun direkt über Ihre Bank eine Rückbuchung des gesamten Rechnungsbetrags durch. Anschließend überweisen Sie lediglich den berechtigten Anteil (Grundgebühr, Telefonate, SMS, Flats etc.), behalten aber den Drittanbieter-Betrag zurück. Geben Sie bei der Überweisung Ihre Kundennummer und die Rechnungsnummer an, als auch den Text „Unbestrittener Teilbetrag gem. Schreiben vom (Datum)" und als Datum dasjenige Ihres obigen Widerspruchsschreibens.

Wenn Sie möchten, müssen Sie nach erfolgter Rückbuchung nichts weiter unternehmen. Sie haben der unberechtigten Rechnung widersprochen und lediglich den berechtigten Anteil bezahlt. Vom rechtlichen Standpunkt aus müsste Ihr Mobilfunkanbieter die Forderung des Drittanbieters nun an diesen zurück geben, und der Drittanbieter müsste Ihnen eine Rechnung stellen. In Bezug auf den Mobilfunkvertrag dürfte nichts passieren, da Sie den Widerspruch und die Rückbuchung rechtlich korrekt durchgeführt haben.

Leider verhalten sich manche Mobilfunkanbieter in dieser Hinsicht unseriös und verlangen nach wie vor eine Zahlung der rückgebuchten Drittanbieter-Anteile. Zahlen Sie nicht, so drohen jene Anbieter mit einer Anschlusssperrung und einer Vertragskündigung. Dieses Verhalten verstößt gegen das Gesetz, wird aber leider manchmal so gehandhabt.

Aus diesem Grund empfehle ich Ihnen, von sich aus nun den Drittanbieter direkt anzuschreiben und um eine Stornierung der abgerechneten Beträge zu bitten. Wie das geht, erfahren Sie im nächsten Abschnitt 3.4.

3.4 Musterbrief an den Drittanbieter

Mit Hilfe des folgenden Briefes fordern Sie den Drittanbieter auf, die zu Unrecht berechneten Beträge zu stornieren. Während Sie mit dem oben aufgezeigten Musterbrief in einem ersten Schritt den Mobilfunkanbieter kontaktieren und Rechnungswiderspruch einlegen, gehen Sie mit dem jetzigen Brief direkt gegen die Forderungen des Drittanbieters vor.

Eine Erstattung der Drittanbieter-Forderungen müssen Sie nicht verlangen, da Sie diese bereits über die Bankrückbuchung erhalten haben. In einem solchen Fall wird lediglich die Stornierung eingefordert. Mit einer Stornierungsbestätigung könnten Sie sich anschließend erneut an Ihren Mobilfunkanbieter wenden. Sieht dieser die Bestätigung der Stornierung, so löscht auch er die Forderungen aus seinem System.

Bitte versenden Sie den folgenden Brief an den Drittanbieter:

Absender:
(Vorname, Name)
(Straße, Hausnummer)
(Postleitzahl, Stadt)

An
(Name des Drittanbieters)
(Straße, Hausnummer)
(Postleitzahl, Stadt)

Als PDF per E-Mail an: (E-Mail-Adresse des Drittanbieters)
Per Fax an: (Faxnummer des Drittanbieters)
Per Einschreiben mit Rückschein

Meine Mobilfunknummer: (Mobilfunknummer)
Mein Mobilfunkanbieter: (Mobilfunkanbieter)
Ihre Abrechnung auf meiner Mobilfunkrechnung Nr. (Rechnungsnummer) vom (Datum)
Widerspruch gegen Ihre Forderungen
Bitte um Stornierung

Sehr geehrte Damen und Herren,

auf meiner Mobilfunkrechnung mit der Nummer (Rechnungsnummer) des Anbieters (Mobilfunkanbieter) vom (Datum) haben Sie einen Gesamtbetrag von (Betrag) abgerechnet. Hiermit lege ich gegen diese Forderung Widerspruch ein, da sie unberechtigt ist.

Sie machen eine Forderung ohne vertragliche Grundlage geltend. Ich habe mit Ihnen keinen Vertrag abgeschlossen, Ihr Unternehmen ist mir unbekannt, ich habe keinerlei Leistungen von Ihnen bezogen.

Insofern bitte ich Sie zunächst um eine Beschreibung, welche konkreten Leistungen Sie mir gegenüber erbracht haben. Zudem bitte ich Sie um den Nachweis der vertraglichen Grundlage, auf deren Basis Sie berechtigt sind, Forderungen an mich zu stellen.

Anbei finden Sie das Schreiben vom (Datum) an meinen Mobilfunkanbieter. Die darin geäußerten rechtlichen Einwendungen mache ich auch gegen Ihr Unternehmen geltend. Insbesondere erkläre ich Ihnen hiermit noch einmal ausdrücklich den Widerruf nach §355 BGB, als auch die Anfechtung nach §119 BGB und §123 BGB.

Ich möchte Sie daher bitten, eine Forderungsstornierung innerhalb von zwei Wochen ab Erhalt dieses Schreibens zu veranlassen, und mir bis zu diesem Zeitpunkt schriftlich Bescheid zu geben.

Zudem bitte ich Sie, ab sofort jegliche evtl. noch gegen mich laufenden Abonnements einzustellen und keine weiteren Rechnungsposten mehr auf meine Mobilfunkrechnung zu setzen.

Mit freundlichen Grüßen
(Ihre Unterschrift)
(Ort, Datum)

3.5 Was bewirkt dieser Brief?

Dieser Musterbrief verfolgt zwei wichtige Ziele. Zum einen legen Sie Widerspruch gegen die unberechtigten Forderungen des Drittanbieters ein. Sie machen deutlich, dass keine vertragliche Grundlage besteht, aufgrund deren Rechnungen gegen Sie gestellt werden dürfen. Zum anderen äußern Sie alle in Frage kommenden rechtlichen Einwendungen noch einmal direkt gegenüber dem Drittanbieter, um einen evtl. doch versehentlich oder unbewusst geschlossenen Vertrag zu Fall zu bringen. Bitte legen Sie Ihr Schreiben an den Mobilfunkanbieter anbei. Durch den Verweis auf dieses Schreiben lassen Sie die darin geäußerten rechtlichen Einwendungen auch gegen den Drittanbieter wirken. Zur Vorsicht äußern Sie die Einwendungen des Widerrufs und der Anfechtung noch einmal explizit.

3.6 Welche Reaktionen sind nun möglich?

Drittanbieter nimmt Stornierung vor: Zeigt Ihr Schreiben Erfolg, so findet eine Stornierung der unberechtigt erhaltenen Beträge statt. Viele Drittanbieter möchten es nicht auf einen Rechtsstreit ankommen lassen und führen die Stornierung durch. Diese wissen selbst, dass ihr Verhalten rechtswidrig ist. Mit Erhalt einer Stornierungs- oder Verzichtsbestätigung ist die Angelegenheit abgeschlossen. Sie besitzen keine Außenstände mehr und müssen aufgrund der Drittanbietersperre keine neuen unberechtigten Rechnungsposten auf Ihrer Mobilfunkrechnung befürchten.

Das Schreiben des Drittanbieters schicken Sie an Ihren Mobilfunkanbieter, mit der Bitte um Kenntnisnahme und um Stornierung der bislang noch berechneten Drittanbieter-Beträge. Hierzu reicht es aus, wenn Sie das Schreiben als PDF an den Mobilfunkanbieter senden, oder per Fax. Nutzen Sie den folgenden kleinen Musterbrief, um Ihrem Mobilfunkanbieter Mitteilung von der erfolgten Stornierung zu machen:

Absender:
(Vorname, Name)
(Straße, Hausnummer)
(Postleitzahl, Stadt)

An
(Name Ihres Mobilfunkanbieters)
(Straße, Hausnummer)
(Postleitzahl, Stadt)

Nur als PDF per E-Mail an: (E-Mail-Adresse Ihres Mobilfunkanbieters)

Kundennummer: (Ihre Kundennummer)
Rufnummer: (Ihre Handynummer)
Erneute Bitte um Stornierung der Drittanbieterpositionen
Vorlage der Stornierungsbestätigung

Sehr geehrte Damen und Herren,

mit Schreiben vom (Datum) habe ich den von Ihnen abgerechneten Drittanbieter (Name Drittanbieter) direkt angeschrieben und um Stornierung der Forderungen gebeten. Diese Stornierung wurde seitens des Drittanbieters vorgenommen, wie Sie dem beiliegenden Schreiben vom (Datum) entnehmen können. Da der Drittanbieter nunmehr keine Forderungen mehr gegen mich geltend macht, möchte auch ich Sie um eine Stornierung dieser Beträge bitten.

Mit freundlichen Grüßen
(Vorname, Name)

Anschließend sollte Ihr Mobilfunkanbieter die Stornierung vornehmen und ebenfalls bestätigen. Ihr Kundenkonto ist dann wieder ausgeglichen, eine Anschlusssperrung oder Vertragskündigung droht nicht.

Drittanbieter verweigert Stornierung: Sollte das Drittanbieterunternehmen keine Stornierung vornehmen, oder sich überhaupt nicht melden, so wenden Sie sich mit Hilfe der im folgenden Abschnitt 3.7 geschilderten Vorgehensweise erneut an Ihren Mobilfunkanbieter. Das ist wichtig, damit dieser sieht, dass Sie bereits Kontakt mit dem Fremdanbieterunternehmen aufgenommen haben. Spätestens dann gewähren viele Mobilfunkanbieter zumindest aus Kulanz eine Stornierung der Drittanbieterbeträge.

3.7 Erneutes Anschreiben des Mobilfunkanbieters

Absender:
(Vorname, Name)
(Straße, Hausnummer)
(Postleitzahl, Stadt)

An
(Name Ihres Mobilfunkanbieters)
(Straße, Hausnummer)
(Postleitzahl, Stadt)

Als PDF per E-Mail an: (E-Mail-Adresse des Mobilfunkanbieters)
Per Fax an: (Faxnummer des Mobilfunkanbieters)
Per Einschreiben mit Rückschein

Kundennummer: (Ihre Kundennummer)
Rufnummer: (Ihre Handynummer)
Widerspruch gegen die Rechnung Nr. (Rechnungsnummer) vom (Rechnungsdatum)
Erneute Bitte um Stornierung von Drittanbieter-Beträgen

Sehr geehrte Damen und Herren,

bereits mit Schreiben vom (Datum) hatte ich Sie gebeten, mir die unberechtigt abgebuchten Beträge für angebliche Drittanbieterleistungen zu stornieren. Leider ist das bis heute nicht geschehen, obwohl ich Ihnen mitgeteilt habe, dass für diese Leistungen kein Vertrag gegeben ist, ich diese Leistungen nie erhalten oder in Anspruch genommen habe.

Mit Schreiben vom (Datum) habe ich mich direkt an den Drittanbieter (Name Drittanbieter) gewandt und um eine Stornierung der Beträge gebeten. Ich lege Ihnen mein Schreiben und das daraufhin ergangene Antwortschreiben des Drittanbieters vom (Datum) in Kopie anbei.

Leider kam es auch hier zu keiner Stornierung. Der Drittanbieter (Name Drittanbieter) reagierte ablehnend und verweigerte eine Bestätigung. Das Drittanbieterunternehmen ist der Ansicht, dass eine vertragliche Grundlage bestünde, ich die Leistungen bewusst bestellt und erhalten habe. Wie ich Ihnen bereits schilderte, ist das nicht der Fall.

Ich bitte Sie daher noch einmal, innerhalb von zwei Wochen die Stornierung vorzunehmen.

Ich möchte betonen, dass ich mich sehr freuen würde, wenn diese Angelegenheit kundenfreundlich und kulant gelöst werden könnte.

Mit freundlichen Grüßen
(Ihre Unterschrift)
(Ort, Datum)

3.8 Was bewirkt dieser Brief?

Erinnerung an das erste Schreiben: Es ist immer wichtig, auf ein bereits ergangenes Schreiben noch einmal hinzuweisen. Auf Seiten Ihres Mobilfunkanbieters bearbeiten meist verschiedene Sachbearbeiter Ihr Anliegen. Erfährt der jeweilige Bearbeiter, dass Sie schon ein erstes Schreiben in dieser Angelegenheit geschickt haben, so wird er mit diesem Absatz noch einmal speziell darauf hingewiesen und kann im Computersystem eine Überprüfung vornehmen, wie darauf von Seiten des Anbieters reagiert wurde. Ich empfehle Ihnen daher, bei jedem neuen Schreiben an Ihren Mobilfunkanbieter auch immer auf Ihre bisherigen Briefe hinzuweisen.

Hinweis auf das (erfolglose) Schreiben an den Drittanbieter: Dieser nächste Hinweis auf das an den Drittanbieter gerichtete Schreiben ist von großer Wichtigkeit. Bitte legen Sie dieses Schreiben und die Antwort des Drittanbieters unbedingt in Kopie anbei. Dadurch sieht Ihr Mobilfunkanbieter, dass Sie bereits erfolglos den Drittanbieter zur Stornierung aufgefordert haben.

In meiner Tätigkeit als Rechtsanwalt erlebe ich es immer wieder, dass der Mobilfunkanbieter spätestens dann, wenn er sieht, dass Sie sich an das Fremdunternehmen gewandt haben, und dieses keine Rückzahlung an Sie vorgenommen hat, seinem Kunden aus Kulanz mit einer Stornierung entgegen kommt.

Hat der Drittanbieter Ihr Einschreiben verweigert und den Brief an Sie zurück gehen lassen, so legen Sie eine Kopie des zurückgesendeten Briefumschlags anbei. Auf dem Briefumschlag wird seitens der Post vermerkt, dass die Zustellung nicht möglich war oder die Briefannahme verweigert wurde. Erhalten Sie überhaupt keine Antwort vom Drittanbieter, so legen Sie nur Ihr eigenes Schreiben bei und weisen darauf hin, dass dieses bislang unbeantwortet blieb.

Erneute Bitte um Stornierung mit Frist: Hier fordern Sie Ihren Mobilfunkanbieter erneut auf, Ihnen den vom Fremdanbieter zu Unrecht abgebuchten Geldbetrag zu stornieren. Durch die Frist wird ein konkreter Zeitraum benannt, bis zu diesem die Bestätigung erfolgen muss. Läuft die Frist ergebnislos ab, so können Sie weitere rechtliche Schritte wie beispielsweise eine außerordentliche sofortige Kündigung angehen.

3.9 Welche Reaktionen sind nun möglich?

Mobilfunkanbieter nimmt Stornierung vor: Im Idealfall reagiert Ihr Mobilfunkanbieter nach Erhalt des erneuten Schreibens kundenfreundlich und nimmt endlich die gewünschte Stornierung vor. Wenn Ihr Mobilfunkanbieter erkennt, dass Sie sich erfolglos an den Drittanbieter gewandt, und damit alles im Bereich Ihrer Möglichkeiten unternommen haben, kann er Sie nicht erneut an eine andere Stelle verweisen und lenkt ein.

In Bezug auf den Mobilfunkprovider ist die Angelegenheit dadurch abgeschlossen. Durch die Stornierung wird Ihr Kundenkonto ausgeglichen.

Mobilfunkanbieter nimmt keine Stornierung vor: Verweigert Ihr Mobilfunkanbieter nach wie vor die Stornierung, so findet kein Ausgleich Ihres Kundenkontos statt. Da Ihr Mobilfunkanbieter davon ausgeht, dass ihm der gesamte Betrag zusteht, wird er Ihnen in Bezug auf die teilweise unbezahlten Rechnungen früher oder später Mahnungen zukommen lassen. Diese Mahnungen sind unrechtmäßig, da Sie der Forderung bereits widersprochen haben. Dennoch mahnen manche Anbieter weiter an, in der Hoffnung, dass der Kunde irgendwann bezahlen werde.

Ergeht ein Mahnschreiben, so können Sie diesem den folgenden Widerspruch als E-Mail entgegen setzen:

Absender:
(Vorname, Name)
(Straße, Hausnummer)
(Postleitzahl, Stadt)

An
(Name Ihres Mobilfunkanbieters)
(Straße, Hausnummer)
(Postleitzahl, Stadt)

Nur per E-Mail an: (E-Mail-Adresse Ihres Mobilfunkanbieters)

Kundennummer: (Ihre Kundennummer)
Rufnummer: (Ihre Handynummer)
Widerspruch gegen Ihre Mahnung vom (Datum) über (Betrag)

Sehr geehrte Damen und Herren,

mit Schreiben vom (Datum) mahnen Sie einen Betrag in Höhe von (Betrag) an. Hiermit widerspreche ich dieser Zahlungsaufforderung, da sie unberechtigt ist. Bereits mehrfach habe ich Sie darauf hingewiesen, dass Sie rechtswidrige Drittanbieterbeträge einverlangen. Ich halte meinen Widerspruch diesbezüglich aufrecht. Bitte unterlassen Sie weitere Mahnschreiben und nehmen eine Stornierung der Forderung vor.

Mit freundlichen Grüßen
(Ihr Name und Adresse)

Hier reicht ein Widerspruch per E-Mail, da kein Zugangsnachweis erforderlich ist. Ein einmaliger Widerspruch gegen eine unberechtigte Forderung reicht grundsätzlich aus. Diesen haben Sie schon zu Beginn per Einschreiben oder Fax geäußert. Für weitere Widersprüche müssen Sie nicht jedes mal den Zugang nachweisen, eine E-Mail ist ausreichend.

Nach mehreren weiteren Mahnungen, gegen die Sie jeweils einen E-Mail-Widerspruch entgegensetzen können, lässt Ihr Mobilfunkanbieter Ihnen eine Endabrechnung oder letzte Mahnung zukommen. Da es sich dabei um eine neue Forderung, evtl. mit Schadensersatzberechnung, handelt, der Sie bislang noch nicht widersprochen haben, setzen Sie dieser Endrechnung einen Widerspruch per Einschreiben oder Fax entgegen:

Absender:
(Vorname, Name)
(Straße, Hausnummer)
(Postleitzahl, Stadt)

An
(Name Ihres Mobilfunkanbieters)
(Straße, Hausnummer)
(Postleitzahl, Stadt)

Als PDF per E-Mail an: (E-Mail-Adresse des Mobilfunkanbieters)
Per Fax an: (Faxnummer des Mobilfunkanbieters)
Per Einschreiben mit Rückschein

Kundennummer: (Ihre Kundennummer)
Rufnummer: (Ihre Handynummer)
Widerspruch gegen die Endabrechnung vom (Datum) über (Betrag)

Sehr geehrte Damen und Herren,

mit Schreiben vom (Datum) fordern Sie einen Betrag in Höhe von (Betrag) von mir. Hiermit lege ich gegen diese Forderung Widerspruch ein. Eine Zahlung wird nicht erfolgen, da Ihre Forderung unberechtigt ist. Ich habe alle rechtmäßigen Rechnungsanteile vollständig und regelmäßig bezahlt. Lediglich in Bezug auf die unberechtigten Drittanbieterforderungen habe ich meinen Widerspruch aufrecht erhalten. Aus nicht nachvollziehbaren Gründen haben Sie sich dauerhaft geweigert, eine Erstattung der rechtswidrig abgezogenen Drittanbieterbeträge vorzunehmen.

Mit freundlichen Grüßen
(Ihre Unterschrift)
(Ort, Datum)

Mit diesem Schreiben legen Sie gegen die Endabrechnung Widerspruch ein. Sie teilen Ihrem Mobilfunkanbieter mit, dass die Forderung unberechtigt ist. Nach einiger Zeit gibt Ihr Mobilfunkanbieter die Forderung möglicherweise an ein Inkassounternehmen ab. Hierzu lesen Sie bitte im Kapitel 7 nach, wie sich die weitere Vorgehensweise gestaltet.

4 Die Kündigung des Mobilfunkvertrags (Option 3)

Wenn Sie aufgrund der Berechnung von Drittanbieterleistungen Ihren Mobilfunkvertrag vorzeitig kündigen möchten, so nutzen Sie die im nun Folgenden beschriebene Vorgehensweise. Eine Kündigung kommt beispielsweise dann in Frage, wenn Sie den Vertrag aufgrund des rechtswidrigen Verhaltens Ihres Anbieters nicht beibehalten möchten, oder sowieso zu einem anderen Provider wechseln wollten.

Mit Hilfe der hier dargestellten Anleitung setzen Sie Ihrem Provider eine Frist, um die Erstattung der zu Unrecht erfolgten Abbuchungen vorzunehmen. Geschieht das nicht, so tritt die Rechtswirkung der Kündigung automatisch ein. Der Vertrag wird beendet. Die unberechtigten Anteile holen Sie sich nach erfolgter Kündigung zurück, indem Sie den gesamten Rechnungsbetrag über Ihre Bank zurückbuchen lassen, und anschließend lediglich den berechtigten Teilbetrag überweisen. Weitere Forderungen nach Eintritt der Kündigung bezahlen Sie nicht mehr.

Immer wenn sich in einem zweiseitigen Vertrag, was ein Mobilfunkvertrag in rechtlicher Hinsicht ist, die eine Vertragspartei fehlerhaft verhält, und, trotz Möglichkeit zur Fehlerbehebung, diese nicht in die Tat umsetzt, hat die andere Partei die Möglichkeit zur außerordentlichen vorzeitigen Kündigung des Vertrags.

Eine solche Konstellation ist in den Fällen der Drittanbieterabrechnung gegeben: Ihr Provider hat eine fehlerhafte Rechnung erstellt, mit unberechtigten Positionen. Gegen diese Rechnungsposten legen Sie Widerspruch ein und geben Ihrem Mobilfunkanbieter die Gelegenheit, innerhalb einer bestimmten Frist die Abrechnung zu korrigieren. Damit hat der Provider die Chance, die Fremdleistungen von der Rechnung zu nehmen, so dass der jeweilige Drittanbieter Ihnen direkt eine Rechnung stellen könnte. Der Mobilfunkanbieter geht damit keine Gefahr ein, weil Sie ihm die Zusicherung machen, die berechtigten Gebührenanteile weiterhin vollständig und regelmäßig zu begleichen.

Kommt Ihr Mobilfunkprovider dennoch Ihrem Wunsch nach Rechnungskorrektur nicht nach, so stellt dies ein Fehlverhalten innerhalb des Vertrags dar, was Ihnen das Recht zur außerordentlichen und vorzeitigen Vertragsbeendigung gibt.

Die Konsequenz einer derartigen Kündigung ist die, dass Sie den Mobilfunkvertrag vollständig beenden. Wir Juristen bezeichnen die Kündigung als eine einseitige und nicht empfangsbedürftige Willenserklärung, die mit Zugang wirksam wird. Das bedeutet, sobald Ihr Mobilfunkanbieter die Kündigung erhält und die darin gesetzte Frist abgelaufen ist, entfaltet diese ihre rechtliche Wirksamkeit.

Die Kündigung beendet den Mobilfunkvertrag, egal was Ihr Provider dazu sagt. Selbst wenn Ihr Anbieter die Kündigung zurückweist und der Meinung ist, dass der Vertrag weiter bestehen würde, so ist dies in rechtlicher Hinsicht nicht der Fall. Selbst bei Ablehnung durch den Kündigungsempfänger entfaltet die Kündigung ihre rechtliche Wirkung.

Nachdem die Kündigung wirksam geworden ist, wird das Vertragsverhältnis zwischen Ihnen und dem Provider beendet. Damit entfällt für Sie die Verpflichtung, weitere Zahlungen an den Mobilfunkanbieter zu leisten. Sie halten dann nicht nur die Fremdanbieterbeträge zurück, sondern auch die Gebühren für den Mobilfunkanbieter. Ab Wirksamkeit der Kündigung leisten Sie überhaupt keine Zahlungen mehr an den Provider. Bis zum Kündigungsdatum zahlen Sie nur die berechtigten Beträge, ohne Drittanbieteranteile.

4.1 Musterbrief an den Mobilfunkanbieter: Außerordentliche Kündigung

Im Folgenden stelle ich Ihnen einen Musterbrief vor, mit dessen Hilfe Sie Ihrem Provider eine rechtssichere Kündigung zukommen lassen können. Nutzen Sie diesen Brief, wenn Sie die vollständige Beendigung Ihres Mobilfunkvertrags wünschen, sollte Ihr Anbieter keine Stornierung der Drittanbieter-Beträge vornehmen.

Da es sich um eine Kündigung handelt, empfehle ich Ihnen für diesen Brief den Versand per Einschreiben mit Rückschein. Durch den Rückschein können Sie später nachweisen, an welchem Datum Ihr Mobilfunkanbieter das Kündigungsschreiben erhalten hat. Ab diesem Moment beginnt die von Ihnen gesetzte Frist zu laufen. Um ganz sicher zu gehen, versenden Sie Ihre Kündigung zusätzlich per Fax und per E-Mail.

Den kursiv gedruckten Text des Musterbriefs nehmen Sie bitte als Vorlage für Ihr Schreiben. An den Stellen, an denen Wörter in Klammern gesetzt sind, fügen Sie Ihre eigenen Angaben bzw. Daten ein, wie beispielsweise Adressangaben, Kundendaten, Datumsangaben oder Geldbeträge.

Absender:
(Vorname, Name)
(Straße, Hausnummer)
(Postleitzahl, Stadt)

An
(Name Ihres Mobilfunkanbieters)
(Straße, Hausnummer)
(Postleitzahl, Stadt)

Per Einschreiben mit Rückschein
Vorab per Fax an: (Faxnummer Ihres Mobilfunkanbieters)
Vorab als PDF per E-Mail an: (E-Mail-Adresse Ihres Mobilfunkanbieters)

Kundennummer: (Ihre Kundennummer)
Rufnummer: (Ihre Handynummer)
Widerspruch gegen die Rechnung Nr. (Rechnungsnummer) vom (Rechnungsdatum)
Widerspruch gegen die Abrechnung von Drittanbieterleistungen
Außerordentliche Kündigung nach Fristablauf

Sehr geehrte Damen und Herren,

Sie rechnen auf meiner Mobilfunkrechnung (Rechnungsnummer) vom (Rechnungsdatum) Leistungen des Drittanbieters (Name Drittanbieter) in Höhe von insgesamt (Betrag) ab, welche als unberechtigt erscheinen. Ich lege daher gegen diesen Teilbetrag der Rechnung Widerspruch ein.

(Nutzen Sie diesen Absatz, falls bereits auf früheren Rechnungen Drittanbieterleistungen unberechtigt abgerechnet wurden): Der Widerspruch bezieht sich zugleich auf die vorhergehenden Rechnungen, auf denen Sie diesen Drittanbieter unberechtigt abgerechnet haben. (Hier schildern Sie kurz, am besten in Form einer Auflistung, auf welchen Rechnungen welche Drittanbieter abgerechnet wurden, und mit welchen Beträgen.)

Sie haben Leistungen des Drittanbieters in Rechnung gestellt, obwohl ich von diesem Anbieter weder Dienste in Anspruch genommen, noch Verträge mit diesem Unternehmen abgeschlossen habe.

Ich versichere Ihnen ausdrücklich, dass ich das von Ihnen abgerechnete Unternehmen nicht kenne und keine vertraglichen Beziehungen mit diesem führe. Mir ist gänzlich unbekannt, wie es zu diesen Rechnungspositionen kommen konnte, und welche Leistungen hier abgerechnet werden.

Ich bitte Sie daher, innerhalb von zwei Wochen ab Erhalt dieses Einschreibens die Erstattung der Drittanbieter-Rechnungspositionen vorzunehmen.

Sollte das nicht geschehen, so erkläre ich Ihnen hiermit schon jetzt die außerordentliche Kündigung nach Ablauf dieses Zeitraums.

Nach Eintreten der Kündigung werde ich den Gesamtrechnungsbetrag direkt über meine Bank rückbuchen lassen und Ihnen anschließend lediglich den berechtigten Teilbetrag (Teilbetrag) überweisen, ohne die bestrittenen Drittanbieter-Beträge.

Da davon auszugehen ist, dass Sie die Forderungen des Drittanbieters im Rahmen einer Forderungsabtretung bereits aufgekauft haben, mache ich die folgenden rechtlichen Einwendungen nach §404 BGB gegen Sie geltend:

Hiermit erkläre ich Ihnen den Widerruf des Drittanbieter-Vertrags nach §355 BGB. Da ich bislang keine ordnungsgemäße Widerrufsbelehrung erhalten habe, ist die 14tägige Widerrufsfrist noch nicht abgelaufen, ein Widerruf ist mithin innerhalb von zwölf Monaten und 14 Tagen möglich und wirksam, §356 Absatz 3 Satz 2 BGB.

Rein vorsorglich erkläre ich Ihnen hiermit die Anfechtung wegen Täuschung nach §123 Absatz 1 BGB. Wenn das Drittanbieter-Unternehmen behauptet, dass ich einen kostenpflichtigen Vertrag geschlossen habe, gleichzeitig aber die notwendigen vertraglichen Grundlagen wie beispielsweise den Preis, nicht ausreichend dargestellt, so dass Kunden überhaupt nicht erkennen können, dass überhaupt ein kostenpflichtiger Vertrag abgeschlossen wird, so liegt hier möglicherweise der Tatbestand der Täuschung vor.

Zusätzlich wird hiermit die Anfechtung wegen Irrtums nach §119 BGB erklärt, da ich einen solchen, von dem Drittanbieter behaupteten Vertrag, nicht abschließen wollte.

(Haben Sie ein minderjähriges Kind, so nutzen Sie zusätzlich den folgenden Absatz in Ihrem Schreiben): Sollte der von Ihnen behauptete Drittanbieter-Vertrag von meinem minderjährigen Kind geschlossen worden sein, so wird hiermit die elterliche erforderliche Genehmigung nach §108 Absatz 1 BGB verweigert. Mir ist bislang nicht bekannt, dass mein minderjähriges Kind einen Vertrag mit dem Drittanbieter abgeschlossen hat. Sollte das dennoch der Fall sein, so liegt aufgrund der fehlenden Genehmigung zwischen dem Drittanbieter und der minderjährigen Person kein vertragliches Verhältnis vor. Ich verweise hierzu auf das Urteil des Landgerichts Saarbrücken vom 22.06.2011 (Az. 10 S 60/10), in dem die Möglichkeit zur Verweigerung der Genehmigung den Eltern eindeutig zugestanden wird.

Ich bitte Sie, sollte die hier ausgesprochene Kündigung nach Ablauf der Frist wirksam werden, mir die Kündigung schriftlich zu bestätigen.

Ab dem Zeitpunkt des Fristablaufs besteht zwischen Ihnen und mir keine vertragliche Grundlage mehr, auf deren Basis Sie berechtigt wären, weitere Forderungen an mich zu stellen. Rein vorsorglich widerspreche ich hiermit allen weiteren Forderungen, die Sie aus dem dann nicht mehr bestehenden Vertragsverhältnis evtl. noch ableiten werden. Der Widerspruch bezieht sich zugleich auf alle Mahnungen, Zahlungserinnerungen und eine evtl. Endabrechnung inkl. Schadensersatzberechnung für die restliche Vertragslaufzeit. Bis zum Kündigungszeitpunkt erhalten Sie alle berechtigten Rechnungsanteile. Lediglich die bestrittenen Drittanbieterbeträge werden von mir einbehalten.

Sollten Sie eine Sperrung veranlassen, so werde ich ab dem Zeitpunkt der Sperrung keine Zahlungen mehr an Sie leisten.

Rein vorsorglich weise ich Sie darauf hin, dass eine widersprochene Forderung nicht an die Schufa oder an andere Auskunfteien gemeldet werden darf.

Sollten Sie weiterhin die unberechtigten Drittanbieter-Forderungen gegen mich geltend machen, oder Forderungen nach Eintritt des Kündigungszeitpunkts, so geben Sie diese Forderungen bitte nicht an ein Inkassounternehmen ab, und veranlassen Sie keine weiteren Mahnungen durch eine beauftragte Rechtsanwaltskanzlei oder ein gerichtliches Mahnbescheidsverfahren.

Ich möchte noch einmal betonen, dass ich mich sehr freuen würde, wenn diese Angelegenheit kundenfreundlich und kulant gelöst werden könnte.

Mit freundlichen Grüßen
(Ihre Unterschrift)
(Ort, Datum)

4.2 Was geschieht in diesem Brief?

Widerspruch gegen die Abrechnung der Drittanbieterleistungen: Ihr Mobilfunkanbieter geht zunächst davon aus, dass die Ihnen zugestellte Handyrechnung korrekt ist, und Sie zur vollständigen Bezahlung verpflichtet sind. Ihr Mobilfunkanbieter führt keine Einzelüberprüfung durch, die Rechnung wird automatisiert per Computer erstellt und an Sie versandt. Erst durch den Widerspruch wird Ihr Anbieter überhaupt darauf aufmerksam gemacht, dass mit der Rechnung etwas nicht stimmt. Erst dann nimmt sich ein Sachbearbeiter Ihre Handyrechnung vor und überprüft diese eingehend.

Zudem verhindern Sie durch den Widerspruch grundsätzlich eine Sperrung Ihres Anschlusses. Das ist an dieser Stelle aber noch von untergeordneter Bedeutung, da Ihr Mobilfunkanbieter den Rechnungsbetrag bereits abgebucht hat, so dass ohne offene Forderungen kein Grund für eine Sperrung droht. Das ist erst dann der Fall, wenn Sie den Rechnungsbetrag direkt über Ihre Bank zurückbuchen lassen und anschließend nur den berechtigten Teilbetrag überweisen würden.

Für einen Rechnungswiderspruch steht Ihnen gemäß §45i Absatz 1 des TKG (Telekommunikationsgesetz) ein Zeitraum von acht Wochen zur Verfügung. Diese Frist beginnt mit Erhalt der Rechnung. Es kommt nicht auf das Rechnungsdatum an, sondern auf den tatsächlichen Zugang bei Ihnen zuhause. Herrscht Uneinigkeit über den Fristbeginn, so müsste Ihr Mobilfunkanbieter beweisen, wann genau Sie die Rechnung erhalten haben.

Bitte nehmen Sie trotz der acht Wochen Zeit den Rechnungswiderspruch so bald wie möglich vor, da Sie für eine Bankrückbuchung des Rechnungsbetrags ebenfalls lediglich acht Wochen Zeit haben. Sollte Ihr Mobilfunkanbieter keine freiwillige Erstattung vornehmen, so kann die Bankrückbuchung zu einem späteren Zeitpunkt noch wichtig werden.

Frühere Rechnungen: Befinden sich die Drittanbieter-Rechnungsposten bereits seit längerer Zeit auf Ihren Rechnungen, so legen Sie mit diesem Absatz zusätzlich Widerspruch gegen die früheren Abrechnungen ein. Bitte stellen Sie hierzu eine kleine Liste auf, in der Sie das Rechnungsdatum, den Drittanbieter und den abgebuchten Betrag kennzeichnen. So weiß Ihr Mobilfunkanbieter genau, auf welche Einzelleistungen sich Ihr Rechnungswiderspruch bezieht.

Kein Vertrag und keine Leistungen: Hiermit teilen Sie Ihrem Mobilfunkanbieter mit, dass Sie mit dem in der Handyrechnung aufgeführten Drittanbieter keinen Vertrag abgeschlossen, dass sie ihn nicht kennen und keine Leistungen bezogen haben. Damit benennen Sie den Grund für Ihren Widerspruch.

In rechtlicher Hinsicht ist es Ihrem Mobilfunkanbieter nicht gestattet, Beträge über Ihre Handyrechnung abzurechnen, für die es keine vertragliche Grundlage gibt.

Im Normalfall müsste sich Ihr Mobilfunkanbieter nun von den beteiligten Drittanbieter-Unternehmen die vertragliche Grundlage benennen lassen. Leider geschieht das oftmals nur in der Form, dass der Mobilfunkanbieter kurz Kontakt mit dem Fremdanbieter aufnimmt, und dieser mit Hilfe eines Standardschreibens bestätigt, dass eine vertragliche Grundlage gegeben sei. In rechtlicher Hinsicht reicht das nicht aus.

Bitte um Erstattung: Mit diesem Absatz fordern Sie Ihren Mobilfunkanbieter dazu auf, den für den Drittanbieter abgerechneten Teilbetrag zu stornieren, also von der Rechnung zu entfernen und Ihnen den Betrag zu ersetzen. In manchen Fällen kann der Mobilfunkanbieter keine Stornierung und Rechnungsneuerstellung vornehmen, es erfolgt dann eine Gutschrifterteilung auf der Folgerechnung. Diese Gutschrift wird in Höhe des vom Drittanbieter berechneten Betrags gewährt und mit Ihren normalen Rechnungsbeträgen verrechnet, so dass sich für Sie das gleiche Resultat einstellt, als ob Ihnen der Betrag direkt ausgezahlt worden wäre.

Setzen Sie Ihrem Mobilfunkanbieter eine ausreichend lange Frist, um auf Ihr Schreiben reagieren zu können. Erfolgt nach Ablauf der zwei Wochen weder eine Erstattung der zu unrecht abgebuchten Beträge, oder noch nicht einmal eine Reaktion, so tritt die Kündigung automatisch in Kraft. Der Mobilfunkvertrag endet automatisch, Sie müssen nichts weiter tun.

Erklärung der Kündigung: Die Kündigung wird bereits in diesem Schreiben für den Fall erklärt, dass der Mobilfunkanbieter Ihren Forderungen nicht innerhalb der Frist nachkommt.

Rückbuchung nach Kündigungseintritt: Nimmt Ihr Mobilfunkanbieter keine Erstattung der bestrittenen Drittanbieterbeträge vor, und ist die von Ihnen gesetzte Frist abgelaufen, so nehmen Sie eine Rückbuchung des gesamten Rechnungsbetrags über Ihre Bank vor. Anschließend überweisen Sie lediglich den berechtigten Rechnungsanteil (Grundgebühr, Telefonate, SMS, Flats etc.) an den Mobilfunkprovider, behalten aber den widersprochenen Teilbetrag für den Drittanbieter ein. Aufgrund der Kündigung endet das Vertragsverhältnis vollständig, so dass Sie ab dem Kündigungszugang auch die normalen monatlichen Gebühren nicht mehr an Ihren Anbieter überweisen müssen

Geltendmachung der Einwendungen §404 BGB: Da meist die Konstellation vorliegt, dass Ihr Mobilfunkanbieter die Forderung des Drittanbieters bereits aufgekauft hat, und nun im eigenen Namen geltend macht, können Sie die rechtlichen Einwendungen gegen den Drittanbieter auch gegenüber Ihrem Mobilfunkanbieter äußern. Dieses Recht ergibt sich für Sie aus §404 BGB. Es darf nicht sein, dass Sie durch eine Forderungsabtretung bzw. durch einen Forderungsverkauf Nachteile erleiden. Die rechtlichen Verhinderungsmöglichkeiten, die Ihnen gegenüber dem Drittanbieter zustehen, sind Ihnen auch gegenüber dem Mobilfunkanbieter gegeben.

Widerruf des Vertrags nach §355 BGB: Im Normalfall wird der Vertrag mit einem Drittanbieter entweder über das Internet, per App, telefonischer Kurzwahlnummer oder per SMS abgeschlossen. Liegt ein unbekannter und ungewollter angeblicher Vertragsschluss vor, so behauptet der jeweilige Fremdanbieter regelmäßig, dass der Vertrag auf einem dieser Wege zustande gekommen ist. Dann aber hat der Kunde ein Widerrufsrecht nach §355 BGB. Denn hier handelt es sich um einen „Fernabsatzvertrag", also um einen Vertrag, der nicht vor Ort in einem Ladengeschäft abgeschlossen, sondern der fernmündlich auf elektronischem Weg vereinbart wurde.

Das Gesetzbuch sieht für diese Fälle ein zweiwöchiges Widerrufsrecht vor. Das bedeutet, dass der Kunde den Vertrag innerhalb von zwei Wochen widerrufen kann, und der Vertrag durch diesen Widerruf vollständig beseitigt wird, als ob er nie geschlossen wurde. Die zweiwöchige Frist beginnt zu laufen, sobald der Kunde über sein Widerrufsrecht per Widerrufsbelehrung informiert wurde. Erhält er keine Belehrung, so läuft die Frist nicht an, der Kunde hat ein zwölf Monate und 14 Tage lang dauerndes Widerrufsrecht (§356 Absatz 3 Satz 2 BGB).

Meiner Erfahrung nach versenden Fremdanbieter so gut wie nie eine Widerrufsbelehrung an ihre Kunden, so dass der Vertragsschluss ein Jahr lang widerrufbar ist. Der in diesem Schreiben geäußerte Widerruf ist daher rechtlich wirksam, selbst wenn der angebliche vom Drittanbieter behauptete Vertragsabschluss bereits einige Monate zurück liegt. Alleine schon aus diesem Grund wäre Ihr Mobilfunkanbieter dazu verpflichtet, die Drittanbieter-Rechnungsposten von Ihrer Handyrechnung zu entfernen, da durch den Widerruf der angebliche Vertrag rückwirkend zunichte gemacht wird.

Anfechtung wegen Täuschung nach §123 BGB: Die Anfechtung eines Vertrags bewirkt, dass dieser von Anfang an beseitigt wird. Derjenige, der den Vertrag abgeschlossen hat, oder angeblich abgeschlossen haben soll, wird nach erfolgter Anfechtung in rechtlicher Hinsicht so gestellt, als ob es den Vertrag nie gegeben hätte. Bei angeblichen Vertragsschlüssen mit Fremdanbietern ist fast immer eine Täuschung gegeben, da dem Kunden gegenüber nicht deutlich gemacht wurde, dass er einen kostenpflichtigen Vertrag abschließt. Juristen sprechen in einem solchen Fall von „Täuschung durch Unterlassen", da der Drittanbieter es unterlassen hat, den Kunden über den Vertragsschluss aufzuklären. Geraten Sie in einen kostenpflichtigen Vertrag, ohne dies zu bemerken, so liegt nahezu immer eine Täuschung vor.

Anfechtung wegen Irrtums nach §119 BGB: Aus Gründen der Vorsichtsmaßnahme empfiehlt es sich, neben einer Anfechtung wegen Täuschung immer auch eine Anfechtung wegen Irrtums auszusprechen. Ging beispielsweise der Kunde davon aus, dass durch Betätigung eines Buttons lediglich ein kostenloser Vertrag zustande kommt, schließt er aber tatsächlich einen kostenpflichtigen Vertrag ab, so unterliegt er einem Irrtum, welcher ihn zur Anfechtung berechtigt.

Genehmigung nach §108 BGB: Ein minderjähriges Kind ist nicht in der Lage, Verträge abzuschließen. Geschieht das dennoch, so muss zumindest ein Elternteil oder Erziehungsberechtigter die nachträgliche Genehmigung erteilen. Verweigern die Eltern die Genehmigung, so kommt kein wirksamer Vertrag zustande. Haben Sie als Elternteil herausgefunden, dass Ihr minderjähriges Kind den Vertrag mit dem Drittanbieter abgeschlossen hat, so sollten Sie unbedingt diesen Abschnitt mit in Ihr Widerspruchsschreiben aufnehmen und die Verweigerung der Genehmigung aussprechen. Dadurch fehlt es an einem wirksamen Vertrag, der Fremdanbieter darf keine Forderungen stellen, und Ihr Mobilfunkanbieter darf die jeweiligen Leistungen nicht auf Ihre Handyrechnung setzen.

Ich habe im Rahmen meiner Kanzleitätigkeit bei zahlreichen Mandaten die Feststellung machen müssen, dass Kinder zugegeben haben, das Handy für Spiele o.ä. benutzt zu haben. Dennoch konnte nicht zweifelsfrei ermittelt werden, ob dadurch tatsächlich ein kostenpflichtiger Vertrag abgeschlossen wurde. Ebenso wenig war ein eindeutiger Vertragspartner auszumachen. Das verkaufende Unternehmen tritt oftmals unter einem anderen Namen als das abrechnende Unternehmen auf. Erschien anschließend die Abrechnung eines Drittanbieters auf der Handyrechnung, so konnte nicht mit Sicherheit gesagt werden, ob dieses Fremdunternehmen die vom Kind genutzten Leistungen abrechnete.

Daher rate ich davon ab, konkrete Zugeständnisse zu machen. Eine gewisse Unsicherheit verbleibt immer, da die Drittanbieter ihr Abrechnungsmodell konsequent undurchsichtig halten. Besteht zumindest die Möglichkeit, dass Ihr minderjähriges Kind den Drittanbieterbetrag verursacht hat, so können Sie eine pauschale Verweigerung der Genehmigung aussprechen. Sie machen damit deutlich, dass Sie in jedem Fall einem evtl. Vertragsschluss die Genehmigung verweigern.

Sind Sie sich jedoch absolut sicher, dass die Rechnungsposten des Drittanbieters von Ihrem Kind verursacht wurden, so können Sie das dem Mobilfunkanbieter gegenüber äußern und die Genehmigung verweigern. Vergleichen Sie hierzu bitte die Ausführungen in Kapitel 11.16.

Bestätigung der Kündigung: Bitten Sie Ihren Mobilfunkanbieter um eine schriftliche Bestätigung des Kündigungserhalts. Damit halten Sie ein weiteres Beweismittel in Händen, dass Ihr Schreiben tatsächlich beim Anbieter eingegangen ist und die Kündigung ihre Wirksamkeit entfalten konnte. Aus rechtlichen Gründen ist eine solche Bestätigung nicht notwendig, da die Kündigung selbst dann wirksam wird, wenn der Mobilfunkanbieter diese nicht bestätigt oder sogar verweigert.

Widerspruch gegen weitere Forderungen: Nach dem Kündigungsdatum besteht zwischen Ihnen und dem Mobilfunkanbieter keine vertragliche Grundlage mehr. Der Provider hat nicht mehr die Möglichkeit, Ihnen weitere Rechnungen zu stellen. Ohne einen Vertrag als Basis dürfen keine Abrechnungen gegen Sie ergehen. Sollte das doch geschehen, so äußern Sie mit diesem Absatz bereits jetzt vorbeugend einen Widerspruch gegen derartige etwaige weitere Forderungen.

Sperrung: Durch den mit Ihrem Mobilfunkanbieter abgeschlossenen Vertrag haben Sie ein Recht auf Nutzung eines funktionierenden Handyanschlusses. Verhängt der Anbieter eine unberechtigte Sperrung, so können Sie diesen nicht mehr nutzen, müssen folglich auch keine Gebühren an den Anbieter bezahlen. Kommt es zu einer unberechtigten Sperrung, so stellen Sie die weiteren Überweisungen ein.

Hinweis auf Schufa: Eine widersprochene Forderung darf nicht in die Schufa eingetragen werden. Im Normalfall geschieht das nicht, derartige Forderungen werden erst gar nicht an die Schufa oder an andere Auskunfteien gemeldet. Vorsichtshalber wird der Mobilfunkanbieter noch einmal extra darauf hingewiesen, um die Nachteile eines Schufa-Negativeintrags von vorneherein auszuschließen. Ich beobachte in meiner Tätigkeit als Rechtsanwalt, dass sich die Unternehmen nahezu immer an diese Vorgabe halten. Das heißt, ist gegen eine Forderung Widerspruch eingelegt, so erfolgt keine Schufa-Meldung. Sollte es versehentlich zu einem Schufa-Negativeintrag kommen, so kann dieser durch Vorlage des Widerspruchsschreibens an die Schufa unkompliziert wieder gelöscht werden.

Widerspruch gegen weitere Mahntätigkeit: Hier weisen Sie darauf hin, dass Sie der Forderung dauerhaft widersprechen. Es würde wenig bringen, wenn der Mobilfunkanbieter immer wieder weitere Mahnschreiben an Sie verschickt, oder sogar ein Inkassobüro oder eine Rechtsanwaltskanzlei mit dem Einzug der Forderungen beauftragen. Dadurch entstehen weitere Kosten, die vermieden werden können.

Beauftragt der Anbieter ein Inkassounternehmen oder eine Rechtsanwaltskanzlei, die Ihnen weitere außergerichtliche Mahnungen zukommen lassen, und hierfür Gebühren in Rechnung stellen, so sind diese unberechtigt.

Aufgrund Ihres Widerspruchs haben Sie deutlich gemacht, dass weitere Mahnungen unnötig sind, die Gebühren hierfür hätten vermieden werden können. Nach §254 BGB ist jede Vertragspartei dazu verpflichtet, unnötigen Schaden von der anderen Seite abzuwenden. Entstehen durch die Mahntätigkeit Kosten, die vermeidbar waren, so wäre es unrechtmäßig, Ihnen diese später in Rechnung zu stellen.

4.3 Welche Reaktionen sind nun möglich?

Mobilfunkanbieter nimmt Erstattung vor: Erstattet Ihr Mobilfunkanbieter die gewünschten Beträge und bestätigt Ihnen die Stornierung, so haben Sie Ihr Ziel erreicht. Dadurch, dass der Provider Ihren Wünschen nachkommt, entfaltet die Kündigung keine Wirkung, der Vertrag bleibt wie bisher bestehen. Mit Erstattung der zu Unrecht abgebuchten Beträge ist die Angelegenheit beendet. Es ist denkbar, dass Sie in der Folgezeit eine Rechnung direkt vom Drittanbieter erhalten. Realistisch ist das eher nicht, ich habe es in meiner Kanzlei immer wieder erlebt, dass sich der Drittanbieter selbst nicht mehr beim Kunden gemeldet hat. Das Fremdunternehmen weiß natürlich, dass seine Forderungen unberechtigt sind. Erfährt es von der Stornierung durch den Mobilfunkanbieter, so lässt es die Forderung intern ruhen und verlangt sie nicht weiter vom Kunden ein. Sollten Sie dennoch eine Rechnung direkt vom Drittanbieter erhalten, so widersprechen Sie dieser mit Hilfe der in Kapitel 5 geschilderten Vorgehensweise.

Mobilfunkanbieter nimmt keine Erstattung vor: Sollte Ihr Mobilfunkanbieter die rechtliche Lage nicht kennen und daher die Erstattung der Drittanbieter-Beträge verweigern, so tritt die Kündigung automatisch mit Ablauf der Frist in Kraft. Von Ihnen ist nichts weiter zu veranlassen. Die Kündigung tritt ein und beendet das Vertragsverhältnis vollständig. Ab diesem Moment besteht zwischen Ihnen und Ihrem Anbieter keine vertragliche Grundlage mehr, auf deren Basis er berechtigt wäre, weitere Forderungen zu stellen.

Leider kommt es in der Realität oft vor, dass ein Mobilfunkanbieter die Kündigung ignoriert und Ihnen weiterhin monatliche Rechnungen zukommen lässt. Er verhält sich so, als ob der Handyvertrag noch Bestand hätte. Das ist in rechtlicher Hinsicht falsch, kommt bei manchen Mobilfunkanbieter aber leider vor. Selbstverständlich ist die Kündigung wirksam geworden, auch wenn der Provider anderer Meinung sein sollte.

Die nun folgenden Monatsrechnungen sind unrechtmäßig, da Sie gekündigt und gleichzeitig den nach der Kündigung ergehenden Forderungen bereits vorab widersprochen haben. Ergeht nach dem Kündigungsdatum eine weitere Rechnung an Sie, so können Sie dieser den folgenden Widerspruch als E-Mail entgegen setzen:

Absender:
(Vorname, Name)
(Straße, Hausnummer)
(Postleitzahl, Stadt)

An
(Name Ihres Mobilfunkanbieters)
(Straße, Hausnummer)
(Postleitzahl, Stadt)

Nur per E-Mail an: (E-Mail-Adresse Ihres Mobilfunkanbieters)

Kundennummer: (Ihre Kundennummer)
Rufnummer: (Ihre Handynummer)
Widerspruch gegen Ihre Rechnung (Rechnungsnummer) vom (Datum) über (Betrag)

Sehr geehrte Damen und Herren,

mit Rechnung vom (Datum) fordern Sie einen Betrag in Höhe von (Betrag). Hiermit widerspreche ich dieser Rechnung, da sie unberechtigt ist. Ich habe Ihnen die außerordentliche Kündigung erklärt, und diese ist in rechtlicher Hinsicht wirksam geworden.

Gegen die nach Kündigungsdatum ergehenden weiteren Forderungen habe ich bereits in meinem Kündigungsschreiben widersprochen. Meinen Widerspruch diesbezüglich halte ich aufrecht.

Bitte lassen Sie mir keine weiteren Rechnungen oder Mahnungen zukommen. Bedingt durch die Kündigung existiert zwischen Ihnen und mir keine vertragliche Grundlage mehr, auf deren Basis Sie berechtigt wären, Forderungen an mich zu stellen.

Mit freundlichen Grüßen
(Ihr Name und Adresse)

Hier reicht ein Widerspruch per E-Mail, da kein Zugangsnachweis erforderlich ist. Ein einmaliger Widerspruch gegen eine unberechtigte Forderung reicht grundsätzlich aus. Diesen haben Sie schon im Rahmen Ihres Kündigungsschreibens per Einschreiben oder Fax geäußert. Für weitere Widersprüche müssen Sie nicht jedes mal den Zugang nachweisen, eine E-Mail ist daher ausreichend. Bitte denken Sie daran, Ihre E-Mails auszudrucken und aufzubewahren.

Nach mehreren weiteren Monatsrechnungen und damit im Zusammenhang ergehenden Mahnungen, gegen die Sie jeweils einen E-Mail-Widerspruch entgegensetzen können, erklärt Ihr Mobilfunkanbieter von sich aus die Kündigung des Vertrags und lässt Ihnen eine Endabrechnung oder letzte Mahnung zukommen.

Meist wird aufgrund der vom Provider ausgesprochenen Kündigung ein Schadensersatzbetrag für die restliche Vertragslaufzeit verlangt. Da es sich dabei um eine neue Forderung handelt, der Sie bislang noch nicht widersprochen haben, setzen Sie dieser Endrechnung einen Widerspruch entgegen. Nutzen Sie hierzu den folgenden Musterbrief:

Absender:
(Vorname, Name)
(Straße, Hausnummer)
(Postleitzahl, Stadt)

An
(Name Ihres Mobilfunkanbieters)
(Straße, Hausnummer)
(Postleitzahl, Stadt)

Als PDF per E-Mail an: (E-Mail-Adresse des Mobilfunkanbieters)
Per Fax an: (Faxnummer des Mobilfunkanbieters)
Per Einschreiben mit Rückschein

Kundennummer: (Ihre Kundennummer)
Rufnummer: (Ihre Handynummer)
Widerspruch gegen die Zahlungsaufforderung vom (Datum) über (Betrag)

Sehr geehrte Damen und Herren,

mit Schreiben vom (Datum) fordern Sie einen Betrag in Höhe von (Betrag) von mir. Hiermit lege ich gegen diese Forderung Widerspruch ein. Eine Zahlung wird nicht erfolgen, da Ihre Forderung unberechtigt ist. Wie ich Ihnen bereits mitgeteilt habe, besitzen Sie nach erfolgter Kündigung keine vertragliche Grundlage mehr, um Forderungen gegen mich geltend zu machen. Da Sie innerhalb der von mir gesetzten Frist keine Rechnungskorrektur vorgenommen haben, war die Kündigung nach Ablauf der Frist rechtmäßig. Die von Ihnen nun geltend gemachte Schadensersatzforderung für die restliche Vertragslaufzeit ist ebenfalls rechtswidrig, da aufgrund der bereits von mir abgegebenen Kündigung kein Vertrag mehr bestand.

Mit freundlichen Grüßen
(Ihre Unterschrift)
(Ort, Datum)

Mit diesem Schreiben legen Sie gegen die Endabrechnung Widerspruch ein. Sie teilen Ihrem Mobilfunkanbieter mit, dass die Forderung, als auch der geltend gemachte Schadensersatz, unberechtigt ist.

Sie sind immer nur dann zum Schadensersatz verpflichtet, wenn Sie schuldhaft, also absichtlich oder aus Versehen, einen Schaden hervorgerufen haben. Das ist hier nicht der Fall. Sie haben Ihrem Anbieter eine Frist gesetzt, um die Rechnung zu korrigieren. Da dies nicht geschehen ist, konnten Sie eine Kündigung erklären.

Nach einiger Zeit gibt Ihr Mobilfunkanbieter die Forderung möglicherweise an ein Inkassounternehmen ab. Hierzu lesen Sie bitte im Kapitel 7 nach, wie sich die weitere Vorgehensweise gestaltet.

5 Widerspruch gegen eine Rechnung direkt vom Drittanbieter

Wenn Ihr Mobilfunkanbieter die Drittanbieter-Rechnungsposten an Sie erstattet hat, werden Sie möglicherweise nach einiger Zeit direkt von dem Fremdunternehmen eine Zahlungsaufforderung erhalten. Ihr Mobilfunkanbieter hat zwischenzeitlich die Forderung storniert und an den Drittanbieter zurück übertragen. Um dennoch den Betrag zu erhalten, wendet sich der Drittanbieter nun an Sie direkt als vermeintlichen Kunden.

Das muss aber nicht unbedingt sein. Ich habe es in meiner Kanzleitätigkeit oft erlebt, dass so mancher Drittanbieter sich überhaupt nicht mehr gemeldet hat, wohl wissend dass seine Forderung rechtswidrig ist. Erhalten Sie trotzdem eine Rechnung direkt von einem Fremdunternehmen, so setzen Sie dieser mit dem folgenden Musterbrief einen Widerspruch entgegen.

5.1 Musterbrief an den Drittanbieter

Den kursiv gedruckten Text des Musterbriefs nehmen Sie bitte als Vorlage für Ihr Schreiben. An den Stellen, an denen Wörter in Klammern gesetzt sind, fügen Sie Ihre eigenen Angaben bzw. Daten ein, wie beispielsweise Adressangaben, Kundendaten, Datumsangaben oder Geldbeträge.

Absender:
(Vorname, Name)
(Straße, Hausnummer)
(Postleitzahl, Stadt)

An
(Name des Drittanbieters)
(Straße, Hausnummer)
(Postleitzahl, Stadt)

Als PDF per E-Mail an: (E-Mail-Adresse des Drittanbieters)
Per Fax an: (Faxnummer des Drittanbieters)
Per Einschreiben mit Rückschein

Ihr Schreiben vom (Datum)
Widerspruch gegen Ihre Forderung über (Betrag)
Bitte um Nachweis Vertrag

Sehr geehrte Damen und Herren,

mit Schreiben vom (Datum) machen Sie einen Betrag in Höhe von (Betrag) gegen mich geltend. Hiermit lege ich gegen diese Forderung Widerspruch ein. Ich werde diese nicht bezahlen, da sie unberechtigt ist.

Sie machen eine Forderung ohne vertragliche Grundlage geltend. Ich habe mit Ihnen keinen Vertrag abgeschlossen, Ihr Unternehmen ist mir unbekannt, ich habe keinerlei Leistungen von Ihnen bezogen.

Insofern bitte ich Sie zunächst um eine Beschreibung, welche konkreten Leistungen Sie mir gegenüber erbracht haben.

Zudem bitte ich Sie um den Nachweis der vertraglichen Grundlage, auf deren Basis Sie berechtigt sind, Forderungen an mich zu stellen.

Bitte beachten Sie, dass Sie den Vertrag behaupten, insoweit also dazu verpflichtet sind, diesen nachzuweisen. Lediglich die Behauptung eines Vertrages reicht nicht aus, um daraus Forderungen ableiten zu können. Da meines Wissens nach ein solcher Vertrag nicht abgeschlossen wurde, gehe ich davon aus, dass Sie keinen solchen vorlegen werden.

Hiermit erkläre ich Ihnen rein vorsorglich den Widerruf des angeblichen Vertrags nach §355 BGB. Da ich bislang keine ordnungsgemäße Widerrufsbelehrung von Ihnen erhalten habe, ist die 14tägige Widerrufsfrist noch nicht abgelaufen, ein Widerruf ist mithin innerhalb von zwölf Monaten und 14 Tagen möglich und wirksam, §356 Absatz 3 Satz 2 BGB.

Rein vorsorglich erkläre ich Ihnen die Anfechtung wegen Täuschung nach §123 Absatz 1 BGB. Wenn Sie behaupten, dass ich einen kostenpflichtigen Vertrag geschlossen habe, gleichzeitig aber die notwendigen vertraglichen Grundlagen wie beispielsweise den Preis, nicht ausreichend darstellen, so dass Ihre Kunden überhaupt nicht erkennen können, dass ein kostenpflichtiger Vertrag abgeschlossen wird, so liegt hier möglicherweise der Tatbestand der Täuschung vor.

Zusätzlich wird Ihnen hiermit die Anfechtung wegen Irrtums nach §119 BGB erklärt, da ich einen solchen, von Ihnen behaupteten, kostenpflichtigen Vertrag nicht abschließen wollte.

(Haben Sie ein minderjähriges Kind, so nutzen Sie zusätzlich den folgenden Absatz in Ihrem Schreiben an den Drittanbieter): Sollte der von Ihnen behauptete Vertrag von meinem minderjährigen Kind geschlossen worden sein, so wird hiermit die elterliche erforderliche Genehmigung nach §108 Absatz 1 BGB nicht erteilt. Mir ist bislang nicht bekannt, dass mein minderjähriges Kind einen Vertrag mit Ihnen abgeschlossen hat. Sollte das der Fall sein, so verweigere ich die Genehmigung. Das bedeutet, dass zwischen Ihnen und der minderjährigen Person kein vertragliches Verhältnis zustande kam.

Rein vorsorglich weise ich Sie darauf hin, dass eine widersprochene Forderung nicht an die Schufa oder an andere Auskunfteien gemeldet werden darf.

Ich möchte Sie bitten, mir innerhalb von zwei Wochen ab Erhalt dieses Schreibens schriftlich zu bestätigen, dass Sie die hier benannte Forderung stornieren und keine weiteren Forderungen aus diesem angeblichen Vertragsverhältnis gegen mich geltend machen.

Zudem bitte ich Sie, ab sofort jegliche evtl. noch gegen mich laufenden Abonnements einzustellen und keine weiteren Rechnungsposten mehr auf meine Mobilfunkrechnung zu setzen.

Bitte geben Sie die Forderung, falls Sie keine Stornierung vornehmen, nicht an ein Inkassounternehmen ab, und veranlassen Sie keine weiteren Mahnungen durch eine beauftragte Rechtsanwaltskanzlei oder ein gerichtliches Mahnbescheidsverfahren. Da ich die Forderung bestreite, werde ich auch nach Erhalt weiterer Mahnungen keine Zahlungen leisten. Weitere Mahnschreiben erhöhen damit nur die Gebühren, ohne jedoch ein neues Ergebnis herbeizuführen. Dies vor dem Hintergrund, dass jeder Seite in einem Rechtsstreit eine gewisse Schadensminderungspflicht obliegt.

Mit freundlichen Grüßen
(Ihre Unterschrift)
(Ort, Datum)

5.2 Was bewirkt dieser Brief?

Widerspruch gegen die Forderung: Immer dann, wenn Sie mit einer unberechtigten Forderung, Rechnung oder Mahnung konfrontiert werden, ist es wichtig, dieser einen Forderungswiderspruch entgegen zu setzen. Der Gegenseite muss deutlich gemacht werden, dass Sie nicht mit dieser Forderung einverstanden sind und keine Zahlungen leisten werden. Vor allem in Hinblick auf einen möglichen Schufa-Negativeintrag ist der Forderungswiderspruch sehr wichtig, da eine widersprochene Forderung nicht in die Schufa oder in andere Auskunfteien eingetragen werden darf. Durch die genaue Bezeichnung der Forderung mit Datum, Betrag, und Ihren Angaben zum Mobilfunkvertrag zeigen Sie auf, um welche konkrete Forderung es sich handelt.

Forderung ohne vertragliche Grundlage: Eine Zahlung darf von Ihnen immer nur dann verlangt werden, wenn hierfür eine vertragliche oder rechtliche Grundlage existiert. Bucht ein Drittanbieter über Ihre Handyrechnung einzelne Beträge ab, so muss hierfür ein Vertrag vorliegen, da es sich ansonsten um eine rechtswidrige Abbuchung handelt. Durch den Hinweis auf die fehlende vertragliche Grundlage machen Sie dem Fremdanbieter deutlich, aus welchem Grund Sie die Forderung bestreiten.

Beschreibung der Leistungen: Im Regelfall ist es für den Mobilfunkkunden überhaupt nicht einsehbar, wofür er bezahlen soll. Der Mobilfunkanbieter setzt den einzelnen Drittanbieter-Betrag auf die Handyrechnung, ohne dass sich daraus eine Erklärung ergibt. Meist werden nur der Name und die Kosten für den Dienst benannt, und am Ende der Rechnung findet sich ein Hinweis auf Adresse, Telefonnummer und Internetseite des Anbieters. Eine Erklärung, welche Leistung konkret erbracht wurde, fehlt.

Daher muss der Drittanbieter aufgefordert werden, diese Leistung zu beschreiben. Sie werden sehen, dass der von Ihnen angeschriebene Dienst eine solche konkrete Leistungsbeschreibung gar nicht erbringen kann. Ich kenne zahlreiche Fälle, in denen der jeweilige Fremdanbieter überhaupt keine Aussage machen kann, was der Kunde bezahlen soll. Manchmal schweigt der Drittanbieter zu diesem Thema gänzlich, manchmal wird auf ein anderes Unternehmen verwiesen, da der angeschriebene Drittanbieter sich damit herausredet, lediglich ein Zahlungsdienstleister zu sein, der für einen anderen weiteren Anbieter abrechnet. Der weiter benannte Anbieter sitzt dann im Ausland und ist für den Kunden so gut wie nicht erreichbar.

Kann der von Ihnen kontaktierte Drittanbieter seine eigenen Leistungen nicht konkret benennen, was genau er wann und wie Ihnen an Leistung zur Verfügung gestellt hat, so unterliegen Sie keiner Zahlungspflicht. Denn wenn der eigentliche Verkäufer nicht einmal weiß, was er Ihnen verkauft hat, wie kann er eine solche Leistung dann abrechnen?

Nachweis der vertraglichen Grundlage: Wie bereits angedeutet, darf ein Drittanbieter Ihnen nur dann eine Leistung in Rechnung stellen, wenn hierfür ein Vertrag abgeschlossen wurde. Ohne einen Vertrag ist es in keinem Fall möglich, dass Sie eine Zahlung an den Drittanbieter erbringen müssen. Kann der von Ihnen angeschriebene Fremdanbieter die vertragliche Grundlage nicht benennen, so muss er die gegen Sie gerichteten Forderungen stornieren.

Wie kommt ein Vertrag überhaupt zustande? Viele Verträge werden auf ganz herkömmliche Weise schriftlich abgeschlossen. Das bedeutet, dass beide Vertragsparteien sich über den Inhalt eines Vertrags einig sind, und hierüber gegenseitig ein Schriftstück unterzeichnen. Dieses enthält die Bedingungen bzgl. vertraglich geschuldeter Leistung, den Preis für die Leistung, und die vertraglichen Pflichten beider Parteien etc.

In vereinfachter Form kann ein schriftlicher Vertrag dadurch geschlossen werden, dass der Kunde einen Auftrag, ein Formular oder eine Bestellung unterzeichnet. Haben Sie beispielsweise in einer örtlichen Filiale Ihres Mobilfunkanbieters einen Handyvertrag abgeschlossen, so wurde hierzu von Ihnen ein Blatt unterzeichnet, auf dem zuvor die vertraglichen Bedingungen des Handyvertrags festgehalten wurden, und auf dem lediglich Ihr Name, Adresse, Bankverbindung usw. eingetragen wurde.

Später lässt sich anhand eines solchen schriftlichen Vertrags konkret nachweisen, wann dieser abgeschlossen wurde, von wem, und mit welchem Leistungsinhalt und Preis. Ein derartiger Vertrag liegt mit einem Drittanbieter nicht vor. Demgemäß entfällt für den jeweiligen Fremdanbieter die Möglichkeit, den Vertrag über ein Schriftstück unkompliziert nachweisen zu können.

Nach deutschem Recht können Verträge sogar mündlich abgeschlossen werden. Das Problem an mündlichen bzw. telefonischen Verträgen ist, dass ein solcher Vertragsabschluss nur schwer nachweisbar ist. Ist bei Vertragsschluss keine weitere Person als Zeuge anwesend, oder wird der telefonisch abgeschlossene Vertrag nicht aufgezeichnet, so ist ein Beweis so gut wie unmöglich. Verträge mit Fremdanbietern werden jedoch weder mündlich noch telefonisch abgeschlossen, eine Aufzeichnung erfolgt erst recht keine, so dass dem Drittanbieter diese Nachweismöglichkeit genommen wird.

So gut wie alle (berechtigten) Verträge mit Drittanbietern werden entweder online über das Internet abgeschlossen, per SMS, Kurzwahlnummer, oder direkt über das Smartphone per App. Nach deutschem Recht ist das problemlos möglich. Jedoch ergibt sich für den Drittanbieter die Schwierigkeit, dass ein derartiger Vertragsschluss nahezu überhaupt nicht nachgewiesen werden kann. Es existiert weder ein Schriftstück noch eine Sprachaufzeichnung oder eine sonstige Dokumentation, die diesen Vertrag nachweisen könnte.

Sowohl die Eingabe von Daten in ein Internet-Formular, das anklicken eines Banners oder Buttons in einer Smartphone-App, oder der Versand einer SMS an eine Kurzwahlnummer sind flüchtige Aktionen, die sich später nicht nachweisen lassen. Dennoch ist der Drittanbieter rechtlich dazu verpflichtet, einen solchen Vertragsschluss nachzuweisen, wenn er seine Forderung auf einen derartigen Vertrag per Internet, App oder SMS stützt.

Nachweispflicht des Vertrags: Vor Gericht ist es so, dass jede Partei das für sie günstige Geschehen vortragen und beweisen muss. Behauptet die eine Partei, dass sie ihre Forderung auf der Basis eines vom Kunden geschlossenen Vertrags geltend macht, so muss sie dem Gericht diesen Vertrag konkret nachweisen. Es genügt nicht, diesen Vertrag lediglich zu behaupten. Es muss geschildert werden, wann und wie der Vertrags zustande kam. Hierfür muss ein eindeutiger unwiderlegbarer Beweis vorgelegt werden.

Da es wenig Sinn macht, ein gerichtliches Klageverfahren abzuwarten, kann die Aufforderung zum Nachweis des entsprechenden Vertrags bereits jetzt außergerichtlich im Vorfeld ausgesprochen werden. Misslingt es der Gegenseite, einen Vertragsschluss nachzuweisen, so wird sie das auch vor Gericht nicht können. Forderungen, für die der vermeintliche Gläubiger keinen Vertrag vorlegen kann, müssen von dem angeblichen Schuldner nicht bezahlt werden. Insofern darf selbst der Mobilfunkanbieter einen Drittanbieter nicht auf Ihre Handyrechnung setzen, wenn hierfür keine vertragliche Grundlage nachgewiesen werden kann.

Konsequenz der Aufforderung zum Vertragsnachweis ist die, dass der Drittanbieter einsieht, dass er keinen Vertragsabschluss beweisen kann. Kann er das außergerichtlich nicht, so könnte er es auch im Rahmen eines Gerichtsverfahrens nicht. Aus diesem Grund findet bei Drittanbieterforderungen so gut wie nie ein gerichtliches Klageverfahren statt.

Widerruf des Vertrags nach §355 BGB: Im Normalfall wird der Vertrag mit einem Drittanbieter entweder über das Internet, per App, telefonischer Kurzwahlnummer oder per SMS abgeschlossen. Liegt ein unbekannter und ungewollter angeblicher Vertragsschluss vor, so behauptet der jeweilige Fremdanbieter regelmäßig, dass der Vertrag auf einem dieser Wege zustande gekommen ist. Dann aber hat der Kunde ein Widerrufsrecht nach §355 BGB. Denn hier handelt es sich um einen „Fernabsatzvertrag", also um einen Vertrag, der nicht vor Ort in einem Ladengeschäft abgeschlossen, sondern der fernmündlich auf elektronischem Weg vereinbart wurde. Das Gesetzbuch sieht für diese Fälle ein zweiwöchiges Widerrufsrecht vor. Das bedeutet, dass der Kunde den Vertrag innerhalb von zwei Wochen widerrufen kann, und der Vertrag durch diesen Widerruf vollständig beseitigt wird, als ob er nie geschlossen wurde. Die zweiwöchige Frist beginnt zu laufen, sobald der Kunde über sein Widerrufsrecht per Widerrufsbelehrung informiert wurde.

Erhält er keine Belehrung, so läuft die Frist nicht an, der Kunde hat ein zwölf Monate und 14 Tage lang dauerndes Widerrufsrecht (§356 Absatz 3 Satz 2 BGB).

Meiner Erfahrung nach versenden Fremdanbieter so gut wie nie eine Widerrufsbelehrung an ihre Kunden, so dass der Vertragsschluss ein Jahr lang widerrufbar ist. Der in diesem Schreiben geäußerte Widerruf ist daher rechtlich wirksam, selbst wenn der angebliche vom Drittanbieter behauptete Vertragsabschluss bereits einige Monate zurück liegt.

Anfechtung wegen Täuschung nach §123 BGB: Die Anfechtung eines Vertrags bewirkt, dass dieser von Anfang an beseitigt wird. Derjenige, der den Vertrag abgeschlossen hat, oder angeblich abgeschlossen haben soll, wird nach erfolgter Anfechtung in rechtlicher Hinsicht so gestellt, als ob es den Vertrag nie gegeben hätte. Bei angeblichen Vertragsschlüssen mit Fremdanbietern ist fast immer eine Täuschung gegeben, da dem Kunden gegenüber nicht deutlich gemacht wurde, dass er einen kostenpflichtigen Vertrag abschließt. Juristen sprechen in einem solchen Fall von „Täuschung durch Unterlassen", da der Drittanbieter es unterlassen hat, den Kunden über den Vertragsschluss aufzuklären. Geraten Sie in einen kostenpflichtigen Vertrag, ohne dies zu bemerken, so liegt nahezu immer eine Täuschung vor.

Anfechtung wegen Irrtums nach §119 BGB: Aus Gründen der Vorsichtsmaßnahme empfiehlt es sich hier, neben einer Anfechtung wegen Täuschung immer auch eine Anfechtung wegen Irrtums auszusprechen. Ging beispielsweise der Kunde davon aus, dass durch Betätigung eines Buttons lediglich ein kostenloser Vertrag zustande kommt, schließt er aber tatsächlich einen kostenpflichtigen Vertrag ab, so unterliegt er einem Irrtum, welcher ihn zur Anfechtung berechtigt.

Genehmigung nach §108 BGB: Ein minderjähriges Kind ist nicht in der Lage, Verträge abzuschließen. Geschieht das dennoch, so muss zumindest ein Elternteil oder Erziehungsberechtigter die nachträgliche Genehmigung erteilen. Verweigern die Eltern die Genehmigung, so kommt kein wirksamer Vertrag zustande. Haben Sie als Elternteil herausgefunden, dass Ihr minderjähriges Kind den Vertrag mit dem Drittanbieter abgeschlossen hat, so sollten Sie unbedingt diesen Abschnitt mit in Ihr Widerspruchsschreiben aufnehmen und die Verweigerung der Genehmigung aussprechen. Dadurch fehlt es an einem wirksamen Vertrag, der Fremdanbieter darf keine Forderungen stellen.

Ich habe im Rahmen meiner Kanzleitätigkeit bei zahlreichen Mandaten die Feststellung machen müssen, dass Kinder zugegeben haben, das Handy für Spiele o.ä. benutzt zu haben. Dennoch konnte nicht zweifelsfrei ermittelt werden, ob dadurch tatsächlich ein kostenpflichtiger Vertrag abgeschlossen wurde. Ebenso wenig war ein eindeutiger Vertragspartner auszumachen. Das verkaufende Unternehmen tritt oftmals unter einem anderen Namen als das abrechnende Unternehmen auf. Erschien anschließend die Abrechnung eines Drittanbieters auf der Handyrechnung, so konnte nicht mit Sicherheit gesagt werden, ob dieses Fremdunternehmen die vom Kind genutzten Leistungen abrechnete.

Daher rate ich davon ab, konkrete Zugeständnisse zu machen. Eine gewisse Unsicherheit verbleibt immer, da die Drittanbieter ihr Abrechnungsmodell konsequent undurchsichtig halten. Besteht zumindest die Möglichkeit, dass Ihr minderjähriges Kind den Drittanbieterbetrag verursacht hat, so können Sie eine pauschale Verweigerung der Genehmigung aussprechen. Sie machen damit deutlich, dass Sie in jedem Fall einem evtl. Vertragsschluss die Genehmigung verweigern.

Sind Sie sich jedoch absolut sicher, dass die Rechnungsposten des Drittanbieters von Ihrem Kind verursacht wurden, so können Sie das dem Drittanbieter gegenüber äußern und die Genehmigung verweigern. Vergleichen Sie hierzu bitte die Ausführungen in Kapitel 11.16.

Hinweis auf Schufa: Eine widersprochene Forderung darf nicht in die Schufa eingetragen werden. Im Normalfall geschieht das nicht, derartige Forderungen werden erst gar nicht an die Schufa oder an andere Auskunfteien gemeldet. Vorsichtshalber wird der Drittanbieter noch einmal extra darauf hingewiesen, um die Nachteile eines Schufa-Negativeintrags von vornherein auszuschließen. Ich beobachte in meiner Tätigkeit als Rechtsanwalt, dass sich die Unternehmen nahezu immer an diese Vorgabe halten. Das heißt, ist gegen eine Forderung Widerspruch eingelegt, so erfolgt keine Schufa-Meldung. Sollte es versehentlich zu einem Schufa-Negativeintrag kommen, so kann dieser durch Vorlage des Widerspruchsschreibens an die Schufa unkompliziert wieder gelöscht werden.

Frist von zwei Wochen: Dem Drittanbieter ist eine gewisse Zeit einzuräumen, um auf Ihren Widerspruch angemessen reagieren zu können. Erhalten Sie nach zwei Wochen keine Antwort von dem Drittanbieter, so können Sie den geforderten Vertragsnachweis als gescheitert betrachten. Sie haben dann die Möglichkeit, weitere rechtliche Schritte einzuleiten, wie beispielsweise die Erstattung einer Strafanzeige.

Beendigung des Drittanbieter-Abos: Damit ein laufendes Abonnement gestoppt wird, erklären Sie dem Drittanbieter hiermit noch einmal ausdrücklich die sofortige Beendigung des Abos.

Widerspruch gegen weitere Mahntätigkeit: Hier weisen Sie darauf hin, dass Sie der Forderung dauerhaft widersprechen. Es würde wenig bringen, wenn der Drittanbieter immer wieder weitere Mahnschreiben an Sie verschickt, oder sogar ein Inkassobüro oder eine Rechtsanwaltskanzlei mit dem Einzug der Forderungen beauftragen. Dadurch entstehen weitere Kosten, die vermieden werden können. Beauftragt der Anbieter ein Inkassounternehmen oder eine Rechtsanwaltskanzlei, die Ihnen weitere außergerichtliche Mahnungen zukommen lassen, und hierfür Gebühren in Rechnung stellen, so sind diese unberechtigt.

Aufgrund Ihres Widerspruchs haben Sie deutlich gemacht, dass weitere Mahnungen unnötig sind, die Gebühren hierfür hätten vermieden werden können. Nach §254 BGB ist jede Vertragspartei dazu verpflichtet, unnötigen Schaden von der anderen Seite abzuwenden. Entstehen durch die Mahntätigkeit Kosten, die vermeidbar waren, so wäre es unrechtmäßig, Ihnen diese später in Rechnung zu stellen.

5.3 Welche Reaktionen sind nun möglich?

Der Drittanbieter erklärt die Stornierung der Forderung: Im Idealfall erhalten Sie von dem Drittanbieter ein Schreiben, dass die Forderung storniert und keine weitere gegen Sie geltend gemacht wird, die Angelegenheit damit ein Ende findet. Das wäre für Sie ein erstrebenswertes Ziel und kommt öfter vor, als Sie denken. Viele Fremdanbieter möchten sich nicht auf einen Rechtsstreit einlassen, da sie negative Medienberichte befürchten. Aus diesem Grund wollen jene Unternehmen auch keine Strafanzeige riskieren. Zwar kann es sein, dass der Drittanbieter die Stornierung lediglich „aus Kulanz" abgibt, und auf die gegen ihn gerichteten Vorwürfe überhaupt nicht eingeht, doch das kann für Sie letztendlich irrelevant sein. Entscheidend ist, dass der Drittanbieter aufgegeben hat und Sie keine Zahlungen leisten müssen.

Der Drittanbieter reagiert nicht oder erlässt sogar weitere Mahnungen gegen Sie: Sollte der von Ihnen angeschriebene Fremdanbieter keine schriftliche Bestätigung abgeben, und stattdessen überhaupt nicht reagieren, oder weiterhin auf seinen Forderungen beharren, so können Sie gegen diesen Strafanzeige wegen versuchten Betrugs erstatten.

Das ist eine angemessene Reaktion Ihrerseits, da der Drittanbieter dauerhaft versucht, von Ihnen auf der Basis eines nicht vorhandenen Vertrags rechtswidrige Zahlungen zu erhalten. Ein solches Verhalten ist strafbar und muss von Ihnen nicht hingenommen werden. Bitte lesen Sie hierzu in Kapitel 6 über die Erstattung einer Strafanzeige nach, wie dann weiter zu verfahren ist.

Nach erfolgtem Widerspruch sind weitere Mahnungen unberechtigt. Dennoch versenden manche Drittanbieter immer weiter Mahnungen an ihre vermeintlichen Kunden, in der Hoffnung, dass diese doch irgendwann die unberechtigten Forderungen bezahlen werden. Ergeht nach dem Widerspruch eine weitere Rechnung, Mahnung oder Zahlungserinnerung an Sie, so können Sie dieser den folgenden Widerspruch als E-Mail entgegen setzen:

Absender:
(Vorname, Name)
(Straße, Hausnummer)
(Postleitzahl, Stadt)

An
(Name Drittanbieter)
(Straße, Hausnummer)
(Postleitzahl, Stadt)

Nur per E-Mail an: (E-Mail-Adresse des Drittanbieters)

Kundennummer: (Ihre Kundennummer)
Rufnummer: (Ihre Handynummer)
Widerspruch gegen Ihre Mahnung vom (Datum) über (Betrag)

Sehr geehrte Damen und Herren,

mit Mahnung vom (Datum) fordern Sie einen Betrag in Höhe von (Betrag). Hiermit widerspreche ich dieser Mahnung, da sie unberechtigt ist. Ich habe Ihnen bereits mitgeteilt, dass ich Ihre Forderungen nicht bezahlen werde. Meinen Widerspruch diesbezüglich halte ich aufrecht.

Mit freundlichen Grüßen
(Ihr Name und Adresse)

Hier reicht ein Widerspruch per E-Mail, da kein Zugangsnachweis erforderlich ist. Ein einmaliger Widerspruch gegen eine unberechtigte Forderung reicht grundsätzlich aus. Diesen haben Sie schon im Rahmen Ihres ersten Schreibens geäußert. Für weitere Widersprüche müssen Sie nicht jedes mal den Zugang nachweisen, eine E-Mail ist daher ausreichend. Bitte denken Sie daran, Ihre E-Mails auszudrucken und aufzubewahren.

6 Erstattung einer Strafanzeige

Immer wieder werde ich von Mandanten gefragt, ob es sinnvoll ist, gegen den Drittanbieter Strafanzeige zu erstatten. Grundsätzlich kann ich diese Frage bejahen, denn nur auf diese Weise kann langfristig gegen unseriös und rechtswidrig agierende Unternehmen vorgegangen werden. Selbst wenn die örtlich zuständige Staatsanwaltschaft zunächst der Ansicht ist, dass es sich um einen Einzelfall handelt, der wegen Geringfügigkeit nicht weiter verfolgt wird, so wird sie spätestens dann hellhörig, wenn dutzende oder hunderte von Strafanzeigen gegen das entsprechende Fremdanbieter-Unternehmen eingehen.

Eine Strafanzeige sollte nur dann gestellt werden, wenn Sie sicher sind, dass ein rechtswidriges Verhalten von Seiten des Unternehmens vorliegt. Voraussetzung hierfür ist, dass Sie mit dem Drittanbieter tatsächlich in keinster Weise einen Vertrag abgeschlossen, keine Leistungen bezogen haben, und Ihnen dieser gänzlich unbekannt ist. Weiterhin muss der Fremdanbieter versucht haben, von Ihnen ohne diese eigentlich erforderliche vertragliche Grundlage Zahlungen zu erhalten.

Schließlich müssen Sie diesen Forderungen widersprochen und um Klärung gebeten haben. Wenn das Drittanbieter-Unternehmen weiterhin an seinen Forderungen festhält, von Ihnen immer noch Geld verlangt, gleichzeitig aber nicht in der Lage ist, den angeblichen Vertrag nachzuweisen, sondern diesen scheinbar nur vorspiegelt, und Ihnen gleichzeitig nicht die angeblich erhaltenen Leistungen konkret darlegen kann, so mag ein strafbares Verhalten vorliegen. Sie haben dann das Recht, Strafanzeige zu erstatten.

In Frage kommt das Delikt des vollendeten Betrugs nach §263 des Strafgesetzbuchs (StGB), wenn Sie bereits Zahlungen geleistet haben, ohne diese zurückerhalten zu haben. Kam es noch nicht zu Zahlungen, so kann es sich um einen „versuchten Betrug" handeln.

Ein Betrugsfall ist immer dann gegeben, wenn jemand versucht, durch eine Täuschung einen Irrtum in Ihnen zu erwecken, der Sie zu einem Vermögensschaden bringt. Täuscht Ihnen ein Drittanbieter-Unternehmen einen angeblichen Vertrag vor, und gehen Sie damit irrtümlich von einer bestehenden Zahlungspflicht aus, was zu einem Geldverlust führt, ohne eine Gegenleistung zu erhalten, so ist der Betrugstatbestand in seinen Grundzügen verwirklicht.

Die Strafanzeige ist gegen den Drittanbieter zu richten, nicht gegen den Mobilfunkanbieter. Im Endeffekt leitet der Mobilfunkanbieter die Zahlungsforderungen des Fremdunternehmens nur weiter, egal auf welcher rechtlichen oder vertraglichen Grundlage, so dass als Tatverantwortlicher das Drittanbieter-Unternehmen heranzuziehen ist.

„Internetwache": Inzwischen ist es in zahlreichen Bundesländern möglich, online über ein Formular im Internet eine Strafanzeige zu erstatten. Nutzen Sie hierzu eine Suchmaschine mit dem Stichwort „Internetwache" und Ihrem Bundesland. Sie werden automatisch auf die für Sie zuständige Homepage geführt. Das dortige Formular gibt Ihnen die Möglichkeit, sämtliche Angaben zum Fall und alle Kontaktdaten zu hinterlassen. Anschließend erhalten Sie eine Bestätigung über den Eingang der Strafanzeige, als auch eine Vorgangsnummer. Über diese Nummer können Sie sich später über den Stand des Verfahrens erkundigen.

Zuständige Staatsanwaltschaft: Wenn Sie wissen möchten, welche Staatsanwaltschaft für den von Ihnen angeschriebenen Drittanbieter zuständig ist, können Sie die Internetseite „www.zustaendiges-gericht.de" nutzen. Geben Sie dort Postleitzahl und Ort des Fremdanbieter-Sitzes an. Zuständig ist dabei die Staatsanwaltschaft vor Ort am Sitz des Unternehmens, nicht die an Ihrem Wohnort. Über diese Internetseite können Sie außerdem die für eine evtl. Klage zuständigen Gerichte ausfindig machen.

Androhung Strafanzeige: Bevor Sie eine Strafanzeige erstatten, sollten Sie diese dem Drittanbieter ankündigen. Eine gesonderte Ankündigung der Strafanzeige hat den Vorteil, dass der Drittanbieter noch einmal sein Verhalten überdenkt und Ihnen evtl. doch die Rückerstattung eingesteht, ohne dass der Schritt einer Strafanzeige notwendig wird.

6.1 Musterbrief Ankündigung Strafanzeige

Absender:
(Vorname, Name)
(Straße, Hausnummer)
(Postleitzahl, Stadt)

An
(Name des Drittanbieters)
(Straße, Hausnummer)
(Postleitzahl, Stadt)

Als PDF per E-Mail an: (E-Mail-Adresse des Drittanbieters)

Meine Mobilfunknummer: (Mobilfunknummer)
Mein Mobilfunkanbieter: (Mobilfunkanbieter)
Ihre Abrechnung auf meiner Mobilfunkrechnung vom (Datum)
Ihr Schreiben vom (Datum)
Erneute Bitte um Rückerstattung
Ankündigung Strafanzeige

Sehr geehrte Damen und Herren,

haben Sie vielen Dank für Ihr Schreiben vom (Datum). Leider teilen Sie mir darin mit, dass Sie keine Erstattung der zu Unrecht einbehaltenen Zahlungen an mich vornehmen werden. Bis heute konnten Sie hierzu weder eine vertragliche Grundlage benennen, noch haben Sie mir mitgeteilt, welche konkreten Leistungen Sie an mich erbracht haben. Ich bestreite weiterhin, dass ein Vertrag vorliegt, und dass ich Leistungen von Ihnen erhalten habe.

Ich fordere Sie letztmalig auf, mir den Betrag in Höhe von (Betrag) bis spätestens (Datum) auf mein Bankkonto (Bankverbindung) zu erstatten. Geschieht das nicht, so werde ich nach Ablauf dieses Datums ohne weitere Ankündigung Strafanzeige wegen des Verdachts auf Betrug nach §263 des Strafgesetzbuches gegen Sie erstatten. Ebenso behalte ich mir zivilrechtliche Schritte bzgl. der Rückforderung des zu Unrecht einbehaltenen Geldes vor.

Mit freundlichen Grüßen
(Ihre Unterschrift)
(Ort, Datum)

6.2 Was geschieht in diesem Brief?

Sie geben dem Fremdanbieter noch einmal die Möglichkeit, Ihnen das bislang zurückbehaltene Geld zu überweisen. Geschieht das nicht, so werden Sie Strafanzeige erstatten. Der Drittanbieter muss sich daher genau überlegen, ob er Sie weiterhin mit dem angeblichen Vertragsabschluss und Leistungsbezug täuschen will, oder ob er Ihnen nicht doch die Zahlung zurück gibt.

Da keine Frist eingehalten werden muss und kein Zugangsnachweis erforderlich ist, reicht ein Versand per E-Mail aus. Ein Einschreiben ist nicht notwendig.

6.3 Musterbrief Strafanzeige

Nutzen Sie das folgende Musterschreiben, um eine Strafanzeige bei der am Sitz des Drittanbieter-Unternehmens zuständigen Staatsanwaltschaft zu erstatten.

Absender:
(Vorname, Name)
(Straße, Hausnummer)
(Postleitzahl, Stadt)

An die
(Zuständige Staatsanwaltschaft)
(Straße, Hausnummer)
(Postleitzahl, Stadt)

Erstattung Strafanzeige gegen (Name und Adresse Drittanbieter)
Verdacht auf Betrug nach §263 StGB

Sehr geehrte Damen und Herren,

hiermit möchte ich gegen (Name und Adresse Drittanbieter) Strafanzeige wegen des Verdachts auf Betrug nach §263 StGB erstatten.

Dieses Unternehmen hat über meine Mobilfunkrechnung vom (Datum) des Mobilfunkanbieters (Name Ihres Mobilfunkanbieters) unberechtigt einen Betrag in Höhe von (Betrag) abgebucht und bis heute nicht an mich zurück bezahlt.

Ich kenne dieses Unternehmen nicht, ich habe mit diesem keinen Vertrag abgeschlossen und keine Leistungen erhalten. Der gesamte Vorgang ist mir unbekannt. Erst mit Erhalt der Handyrechnung habe ich von der angeblich bestehenden Forderung erfahren. Ohne mein Wissen und ohne Einverständnis wurde der hier benannte Betrag von meinem Mobilfunkanbieter an das Unternehmen abgeführt.

Ich habe mich anschließend an (Name Drittanbieter) gewandt, um die rechtswidrig erhaltenen Gelder zurück zu bekommen. Ich habe das Unternehmen um Nachweis des angeblichen Vertrags gebeten und deutlich gemacht, dass ich keinerlei Kenntnisse über den gesamten Vorgang habe.

Leider besteht das Unternehmen auf einen Einbehalt des Geldes und verweigert die Rückerstattung. Stattdessen spiegelt es mir einen angeblichen Vertragsabschluss vor, den ich nie getätigt habe. Es ist davon auszugehen, dass hier mit Hilfe einer Täuschung gearbeitet wurde, um über meinen Mobilfunkanbieter Zahlungen zu erhalten.

Ich lege Ihnen die betroffene Mobilfunkrechnung, den bisherigen Schriftwechsel mit dem Drittanbieter, als auch mit meinem Mobilfunkanbieter, anbei. Bitte überprüfen Sie den Vorgang. Haben Sie für Ihre Bemühungen vielen Dank.

(Sollten Sie im Internet auf ähnliche Fälle desselben Drittanbieters gestoßen sein, so können Sie diese Seiten ausdrucken und Ihrem Schreiben beifügen. Damit machen Sie deutlich, dass es sich nicht um einen Einzelfall, sondern möglicherweise um geschäftsmäßigen/gewerbemäßigen Betrug geht.)

Mit freundlichen Grüßen
(Ihre Unterschrift)
(Ort, Datum)

7 Widerspruch gegen eine Inkassomahnung

Sofern Sie bis jetzt noch keine gütliche Lösung gefunden haben, sehen Sie sich nach wie vor mit einer gegen Sie gerichteten unberechtigten Forderung konfrontiert. Entweder verlangt Ihr Mobilfunkanbieter von Ihnen Geld, weil Sie einen Teil der Handyrechnung zurück gebucht haben. Oder der Drittanbieter verlangt von Ihnen rechtswidrig eine Zahlung, da er diese nicht über Ihre Handyrechnung erhalten konnte und nun direkt gegen Sie geltend machen muss. Im Extremfall wird von Ihnen die Bezahlung der restlichen Mobilfunk-Vertragslaufzeit bzw. ein Schadensersatz verlangt, beispielsweise wenn Sie eine Kündigung ausgesprochen haben und Ihr Mobilfunkanbieter nicht gesetzeskonform darauf reagiert.

In allen Fällen stellt sich Ihnen ein größeres Unternehmen (Mobilfunkprovider oder Drittanbieter) entgegen, das von Ihnen eine relativ geringe Zahlung fordert. Es würde sich aufgrund des kleinen Betrages und der enormen Unternehmensgröße nicht rentieren, jeden einzelnen Betrag sofort vom Kunden per Gericht einzuklagen.

In solchen Situationen haben sich die meisten Unternehmen auf einen anderen Weg eingelassen: Sie verkaufen ihre Forderung vollständig an ein Inkassounternehmen. Das heißt, die Unternehmen geben die Forderung komplett an den Inkassodienstleister ab, erhalten dafür einen bestimmten Geldbetrag (meist ein Prozentsatz der abgetretenen Summe), und haben ab diesem Moment mit der Angelegenheit nichts mehr zu tun.

Nutzen Sie den folgenden Mustertext und fügen das Widerspruchsschreiben, welches Sie bereits an das ursprüngliche Unternehmen (Mobilfunkanbieter oder Drittanbieter, je nachdem wer das Inkassobüro beauftragt hat) geschickt haben, in Kopie anbei.

7.1 Musterbrief gegen eine Inkassomahnung

Absender:
(Vorname, Name)
(Straße, Hausnummer)
(Postleitzahl, Stadt)

An
(Name des Inkassobüros)
(Straße, Hausnummer)
(Postleitzahl, Stadt)

Als PDF per E-Mail an: (E-Mail-Adresse des Inkassobüros)
Per Fax an: (Faxnummer des Inkassobüros)
Per Einschreiben mit Rückschein

Angelegenheit (Auftraggeber) ./. (Ihr Name)
Ihr Aktenzeichen: (Aktenzeichen des Inkassobüros)
Widerspruch gegen Ihre Forderung vom (Datum) über (Betrag)

Sehr geehrte Damen und Herren,

mit Ihrem Schreiben vom (Datum) fordern Sie einen Betrag in Höhe von (Betrag) von mir. Hiermit widerspreche ich Ihrer Forderung. Diese ist nicht berechtigt, ich werde daher nicht bezahlen.

Ich habe bereits gegenüber Ihrer Mandantschaft einen Forderungswiderspruch geäußert. Mein Schreiben vom (Datum) lege ich Ihnen in Kopie anbei.

Ich bitte Sie daher, diese Angelegenheit zu stornieren und keine weiteren Forderungen mehr an mich zu stellen. Bitte haben Sie Verständnis dafür, dass ich keine unberechtigten Forderungen bezahlen möchte.

Rein vorsorglich weise ich darauf hin, dass eine widersprochene Forderung nicht an eine Auskunftei wie beispielsweise die Schufa etc. gemeldet werden darf.

Ich bitte Sie, mir innerhalb von zwei Wochen ab Erhalt dieses Einschreibens schriftlich mitzuteilen, ob Sie die Angelegenheit weiter verfolgen werden. Sollte ich bis zu diesem Datum keinerlei Reaktion von Ihnen erhalten haben, so gehe ich davon aus, dass Sie diese Angelegenheit nicht weiter verfolgen, und sich diese mit meinem jetzigen Schreiben abschließend erledigt hat.

Bitte erlassen Sie keine weiteren Mahnschreiben und verzichten Sie auf die Beantragung eines gerichtlichen Mahnbescheides. Da ich die Forderung bestreite, könnte auf dem Weg der fortführenden Mahntätigkeit Ihrerseits keine weitere Klärung der Sachlage herbeigeführt werden.

Mit freundlichen Grüßen
(Ihr Name und Unterschrift)
(Ort, Datum)

7.2 Was geschieht in diesem Brief?

Widerspruch gegen die Forderung: Zunächst machen Sie dem Inkassobüro gegenüber deutlich, dass es sich um eine unberechtigte Forderung handelt und Sie dieser widersprechen.

Hinweis auf das vorangegangene Schreiben: Leider kommt es immer wieder vor, dass Inkassounternehmen die Forderung aufkaufen, ohne den zugrunde liegenden Sachverhalt vom ursprünglichen Forderungsinhaber mitgeteilt bekommen zu haben. Daher ist es wichtig, Ihr bereits ergangenes Widerspruchsschreiben noch einmal in Kopie beizulegen. Dadurch kann der zuständige Sachbearbeiter des Inkassodienstleisters erkennen, dass der Forderung bereits widersprochen wurde, und warum.

Bitte um Stornierung: Aufgrund der unberechtigten Zahlungsaufforderung bitten Sie um eine Stornierung. Handelt es sich um ein seriöses Inkassobüro, das den Sachverhalt tatsächlich überprüft und über die rechtliche Situation nachdenkt, so kann es geschehen, dass das Inkassounternehmen an dieser Stelle den weiteren Forderungseinzug abbricht und die Angelegenheit an das ursprüngliche Unternehmen (Mobilfunkprovider oder Drittanbieter) zurückgibt. Das kommt vor allem dann vor, wenn das Inkassobüro sehr eng mit dem ursprünglichen Unternehmen zusammenarbeitet oder von diesem gegründet wurde.

Hinweis auf Schufa: Eine widersprochene Forderung darf nicht in die Schufa oder eine andere Auskunftei eingetragen werden. Mit diesem Satz weisen Sie auf die Rechtslage klar hin und machen damit deutlich, dass Sie unter keinen Umständen eine Weitergabe Ihrer Daten an eine Auskunftei wünschen.

Fristsetzung zur Stellungnahme: Um das Inkassounternehmen zum Handeln und zur Stellungnahme aufzufordern, setzen Sie diesem eine Frist. Bitte beachten Sie, dass es sich hierbei nicht um eine gesetzliche Frist handelt. Das heißt, nach Ablauf der Frist tritt keine gesetzlich vorgegebene Wirkung ein. Es handelt sich um eine rein privat gesetzte Frist, die die Gegenseite zum Tätigwerden auffordert.

Widerspruch gegen weitere Mahnungen: Da Sie mit dem jetzigen Schreiben Widerspruch gegen die Forderung eingelegt haben, und diesen Widerspruch konsequent aufrecht erhalten werden, würde es für das Inkassobüro wenig Sinn ergeben, wenn es Ihnen noch weitere Mahnungen zukommen lassen würde.

Gleiches gilt für den gerichtlichen Mahnbescheid: Dieser kostet Gebühren, macht aber bei einer widersprochenen Forderung wenig Sinn. Die dadurch entstehenden Kosten können verhindert werden, was Sie mit diesem Absatz deutlich machen.

In einem Rechtsstreit ist jede Seite dazu verpflichtet, den entstehenden Schaden so gering wie möglich zu halten. Verstößt eine Seite gegen diesen Grundsatz, so kann zu einem späteren Zeitpunkt die Gegenseite nicht zur Übernahme der unnötigen Kosten gezwungen werden.

7.3 Weiteres Vorgehen nach Widerspruch gegen die Inkassomahnung

Trotz des von Ihnen geäußerten Widerspruchs wird das Inkassounternehmen weiterhin versuchen, von Ihnen eine Zahlung zu erhalten. Das hängt damit zusammen, dass das Inkassounternehmen in den meisten Fällen die Forderung *aufgekauft* hat und nun versucht, mit Hilfe der Forderung einen Gewinn zu erzielen.

Erhaltenes Geld muss das Inkassobüro nicht mehr an den ursprünglichen Auftraggeber weiterreichen, sondern kann dieses selbst behalten.

Es ist daher möglich, dass Sie noch über Monate hinweg regelmäßige Mahnschreiben erhalten. Diese weiteren Inkassomahnungen entfalten keine neue rechtliche Wirksamkeit, sie dienen alleine dazu, Sie einem gewissen Zahlungsdruck auszusetzen.

Es ist nicht notwendig, jeder einzelnen dieser Mahnungen zu widersprechen, da Sie bereits einen einmaligen Widerspruch geäußert haben. In rechtlicher Hinsicht reicht es aus, einer unberechtigten Forderung einmalig zu widersprechen. Aus Erfahrung weiß ich, dass sich viele von unberechtigten Mahnungen bedrohte Mandanten sicherer fühlen, wenn sie den einzelnen Mahnungen jeweils einen weiteren Widerspruch entgegensetzen. Selbstverständlich können auch Sie den weiteren Mahnungen jeweils mit einem Widerspruch entgegnen.

Nutzen Sie für die folgenden Widersprüche lediglich den Versand per E-Mail, da es sich um eine bereits widersprochene Forderung handelt. Ein Zugangsnachweis ist bei bereits widersprochenen Forderungen nicht notwendig.

An
(Name des Inkassobüros)
(Straße, Hausnummer)
(Postleitzahl, Stadt)

Nur per E-Mail an: (E-Mail-Adresse des Inkassounternehmens)

Angelegenheit (Auftraggeber) ./. (Ihr Name)
Ihr Aktenzeichen: (Aktenzeichen des Inkassobüros)
Widerspruch gegen Ihre Forderung vom (Datum) über (Betrag)
Aufrechterhaltung des Widerspruchs

Sehr geehrte Damen und Herren,
hiermit erkläre ich Ihnen den Widerspruch gegen die von Ihnen zugeschickte Mahnung vom (Datum) über einen Betrag von (Betrag). Bereits mit Schreiben vom (Datum) habe ich Ihrer Forderung widersprochen. Dieser Widerspruch wird von mir aufrecht erhalten.

Mit freundlichen Grüßen
(Ihr Name)
(Ort, Datum)

Mit diesem Musterbrief zeigen Sie dem Inkassounternehmen, dass Sie die Forderung für unberechtigt halten und nicht bezahlen werden. Obwohl das Inkassounternehmen nun weiß, dass Sie keine Zahlungen leisten werden, schickt es Ihnen in der Folgezeit weitere Mahnungen zu. Diesen widersprechen Sie mit der oben abgedruckten Muster-E-Mail. Im Idealfall gibt der Inkassodienstleister nach einiger Zeit auf und stellt keine weiteren Forderungen an Sie.

Einige Inkassobüros sind jedoch besonders hartnäckig und arbeiten mit Rechtsanwaltskanzleien zusammen. Das Ziel ist, größtmöglichen Zahlungsdruck auf Sie auszuüben. Bitte machen Sie sich keine Sorgen. Es handelt sich um ein Verfahren, das von zahlreichen Inkassodienstleistern standardisiert angewendet wird. Letztendlich bleibt es bei einer unberechtigten Forderung, die lediglich durch eine weitere neue Institution angemahnt wird. Im nächsten Kapitel schildere ich Ihnen die Vorgehensweise gegen eine Mahnung, die Sie von einer Inkasso-Anwaltskanzlei erhalten.

Andere Inkassounternehmen lassen Ihnen einen „gerichtlichen Mahnbescheid" zukommen, falls dauerhaft keine Zahlung Ihrerseits eingeht. Auch in einem solchen Fall besteht kein Anlass zur Sorge, denn ein Mahnbescheid ist lediglich eine andere Form der Mahnung, der Sie leicht widersprechen können. Sollten Sie einen Mahnbescheid erhalten, so lesen Sie hierzu bitte die in Kapitel 10 geschilderte Vorgehensweise.

8 Widerspruch gegen die Mahnung einer Inkassokanzlei

Manchmal schaltet sich im Anschluss an das Inkassobüro eine Rechtsanwaltskanzlei ein. Ein rechtsanwaltliches Mahnschreiben kann drei verschiedene Ursachen haben:

Inkassobüro arbeitet unter anderem Briefkopf weiter: Hierbei handelt es sich weiterhin intern um ein Schreiben des ursprünglichen Inkassounternehmens, das den Briefkopf einer Anwaltskanzlei verwendet. Hier existiert eine Zusammenarbeit mit einem Rechtsanwalt, der sich bereit erklärt hat, dem Inkassobüro seinen Kanzleinamen zur Verfügung zu stellen. Das Mahnschreiben ergeht inhaltlich vom Inkassobüro, wird jedoch auf dem Briefbogen der Anwaltskanzlei gedruckt.

Anwaltskanzlei arbeitet als Inkassodienstleister: In diesem Fall gibt es eine Rechtsanwaltskanzlei, die sich darauf spezialisiert hat, Forderungen von größeren Unternehmen einzuverlangen. Die Anwaltskanzlei baut intern eine eigene Inkassoabteilung auf, die die Forderung vom Inkassobüro aufkauft und anschließend selbst geltend macht. Alle Zahlungen gehen der Kanzlei zu, das ursprünglich zuständige Inkassobüro oder das Unternehmen erhält nichts.

Normale Vertretung durch Rechtsanwalt: Eine dritte Möglichkeit ist die, dass die Rechtsanwaltskanzlei auf herkömmlichem Weg das Inkassobüro vertritt, das Inkassounternehmen also die Mandantschaft der Anwaltskanzlei darstellt. Die Kanzlei erhält bei Zahlungseingang die Rechtsanwaltsgebühr, Hauptschuld und weitere Verzugsgebühren fließen dem Inkassounternehmen zu.

Es spielt keine Rolle, welcher Weg intern vom Inkassounternehmen bzw. der Rechtsanwaltskanzlei gewählt wird. Es ändert nichts an dem Umstand, dass es sich um eine unberechtigte Forderung handelt, der Sie bereits widersprochen haben. Das Hinzuziehen einer Rechtsanwaltskanzlei soll weiteren Zahlungsdruck auf Sie ausüben, da sich viele Personen eingeschüchtert fühlen, wenn sie das Schreiben einer Anwaltskanzlei erhalten.

Ich empfehle Ihnen daher, Ihren Forderungswiderspruch konsequent aufrecht zu erhalten und keine Zahlungen an die Rechtsanwaltskanzlei zu leisten. Teilen Sie der Kanzlei einmalig mit, dass es sich um eine unberechtigte Forderung handelt, und dass Sie dieser bereits widersprochen haben. Nutzen Sie hierzu den folgenden Mustertext und fügen das Widerspruchsschreiben in Kopie anbei.

8.1 Musterbrief gegen die Forderung einer Inkassokanzlei

Absender:
(Vorname, Name)
(Straße, Hausnummer)
(Postleitzahl, Stadt)

An
(Name der Rechtsanwaltskanzlei)
(Straße, Hausnummer)
(Postleitzahl, Stadt)

Als PDF per E-Mail an: (E-Mail-Adresse der Rechtsanwaltskanzlei)
Per Fax an: (Faxnummer der Rechtsanwaltskanzlei)
Per Einschreiben mit Rückschein

Angelegenheit (Auftraggeber) ./. (Ihr Name)
Ihr Aktenzeichen: (Aktenzeichen der Rechtsanwaltskanzlei)
Widerspruch gegen Ihre Forderung vom (Datum) über (Betrag)

Sehr geehrte Damen und Herren,

mit Ihrem Schreiben vom (Datum) fordern Sie einen Betrag in Höhe von (Betrag) von mir. Hiermit widerspreche ich Ihrer Forderung. Diese ist nicht berechtigt, ich werde daher nicht bezahlen.

Ich habe bereits gegenüber Ihrer Mandantschaft einen Forderungswiderspruch geäußert. Mein Schreiben vom (Datum) lege ich Ihnen in Kopie anbei. Die von Ihnen angemahnte Forderung ist ohne vertragliche Grundlage, da kein wirksamer Vertrag abgeschlossen wurde. Insofern ist die Forderung ohne Rechtsgrund.

Ich bitte Sie daher, diese Angelegenheit zu stornieren und keine weiteren Forderungen mehr an mich zu stellen. Bitte haben Sie Verständnis dafür, dass ich keine unberechtigten Forderungen bezahlen möchte.

Rein vorsorglich weise ich darauf hin, dass eine widersprochene Forderung nicht an eine Auskunftei wie beispielsweise die Schufa etc. gemeldet werden darf.

Ich bitte Sie, mir innerhalb von zwei Wochen ab Erhalt dieses Schreibens schriftlich mitzuteilen, ob Sie die Angelegenheit weiter verfolgen werden. Sollte ich innerhalb dieser Frist keinerlei Reaktion von Ihnen erhalten haben, so gehe ich davon aus, dass Sie diese Angelegenheit nicht weiter verfolgen, und sich jene mit diesem Schreiben abschließend erledigt hat.

Bitte erlassen Sie keine weiteren Mahnschreiben und verzichten Sie auf die Beantragung eines gerichtlichen Mahnbescheides. Da ich die Forderung bestreite, könnte auf diesem Weg der fortführenden Mahntätigkeit Ihrerseits keine weitere Klärung der Sachlage herbeigeführt werden.

Mit freundlichen Grüßen
(Ihr Name und Unterschrift)
(Ort, Datum)

8.2 Was geschieht in diesem Brief?

Widerspruch gegen die Forderung: Zunächst machen Sie der Inkassokanzlei gegenüber deutlich, dass es sich um eine unberechtigte Forderung handelt und Sie dieser widersprechen.

Hinweis auf das vorangegangene Schreiben: Es kommt immer wieder vor, dass Inkassounternehmen, egal ob Inkassobüros oder Inkassokanzleien, die Forderung aufkaufen, ohne den zugrunde liegenden Sachverhalt vom ursprünglichen Forderungsinhaber mitgeteilt bekommen zu haben. Daher ist es wichtig, Ihr bereits ergangenes Widerspruchsschreiben noch einmal in Kopie beizulegen. Dadurch kann der zuständige Sachbearbeiter der Inkassokanzlei erkennen, dass der Forderung bereits widersprochen wurde, und warum.

Bitte um Stornierung: Aufgrund der unberechtigten Zahlungsaufforderung bitten Sie um eine Stornierung. Handelt es sich um eine seriöse Inkassokanzlei, die den Sachverhalt tatsächlich überprüft und über die rechtliche Situation nachdenkt, so kann es geschehen, dass das Inkassounternehmen an dieser Stelle den weiteren Forderungseinzug abbricht und die Angelegenheit an das ursprüngliche Unternehmen (Mobilfunkprovider oder Drittanbieter) zurückgibt.

Hinweis auf Schufa: Eine widersprochene Forderung darf nicht in die Schufa oder eine andere Auskunftei eingetragen werden. Mit diesem Satz weisen Sie auf die Rechtslage klar hin und machen damit deutlich, dass Sie unter keinen Umständen eine Weitergabe Ihrer Daten an eine Auskunftei wünschen.

Fristsetzung zur Stellungnahme: Um die Inkassokanzlei zum Handeln und zur Stellungnahme aufzufordern, setzen Sie dieser eine Frist. Bitte beachten Sie, dass es sich hierbei nicht um eine gesetzliche Frist handelt. Das heißt, nach Ablauf der Frist tritt keine gesetzlich vorgegebene Wirkung ein. Es handelt sich um eine rein privat gesetzte Frist, die die Gegenseite zum Tätigwerden auffordert.

Widerspruch gegen weitere Mahnungen: Da Sie mit dem jetzigen Schreiben Widerspruch gegen die Forderung eingelegt haben, und diesen Widerspruch konsequent aufrecht erhalten werden, würde es für die Inkassokanzlei wenig Sinn ergeben, wenn sie Ihnen noch weitere Mahnungen zukommen lassen würde.

Gleiches gilt für den gerichtlichen Mahnbescheid: Dieser kostet Gebühren, macht aber bei einer widersprochenen Forderung wenig Sinn. Die dadurch entstehenden Kosten können verhindert werden, was Sie mit diesem Absatz deutlich machen.

In einem Rechtsstreit ist jede Seite dazu verpflichtet, den entstehenden Schaden so gering wie möglich zu halten. Verstößt eine Seite gegen diesen Grundsatz, so kann zu einem späteren Zeitpunkt die Gegenseite nicht zur Übernahme der unnötigen Kosten gezwungen werden.

8.3 Weiteres Vorgehen nach Widerspruch gegen die Inkassokanzlei

Trotz des von Ihnen geäußerten Widerspruchs wird auch die Rechtsanwaltskanzlei weiterhin versuchen, von Ihnen eine Zahlung zu erhalten. Je nach interner Konstellation zwischen Inkassobüro und Anwaltskanzlei versucht entweder nach wie vor das Inkassounternehmen durch Ihre Zahlung Gewinn zu erzielen, oder aber die beauftragte Rechtsanwaltskanzlei.

Es ist daher möglich, dass Sie noch über eine gewisse Zeitspanne hinweg regelmäßige Mahnschreiben erhalten. Es besteht eigentlich keine Notwendigkeit, jeder einzelnen dieser Mahnungen zu widersprechen, da ein einmaliger Widerspruch gegen unberechtigte Forderungen rechtlich ausreichend ist. Unabhängig davon können Sie natürlich gegen jede einzelne Mahnung der Anwaltskanzlei Widerspruch einlegen. Nutzen Sie für die weiteren Widersprüche lediglich den Versand per E-Mail, da es sich um eine bereits widersprochene Forderung handelt.

An
(Name der Rechtsanwaltskanzlei)
(Straße, Hausnummer)
(Postleitzahl, Stadt)

Nur per E-Mail an: (E-Mail-Adresse der Rechtsanwaltskanzlei)

Angelegenheit (Auftraggeber) ./. (Ihr Name)
Ihr Aktenzeichen: (Aktenzeichen der Inkassokanzlei)
Widerspruch gegen Ihre Forderung vom (Datum) über (Betrag)
Aufrechterhaltung des Widerspruchs

Sehr geehrte Damen und Herren,
hiermit erkläre ich Ihnen den Widerspruch gegen die von Ihnen zugeschickte Mahnung vom (Datum) über einen Betrag von (Betrag). Bereits mit Schreiben vom (Datum) habe ich Ihrer Forderung widersprochen. Dieser Widerspruch wird von mir aufrecht erhalten.

Mit freundlichen Grüßen
(Ihr Name)
(Ort, Datum)

Sie machen mit diesem kurzen Schreiben deutlich, dass Sie Ihren Widerspruch aufrecht erhalten und keine Zahlungen leisten werden. Im Idealfall hört die Inkassokanzlei irgendwann damit auf, Ihnen weitere Mahnungen zuzusenden.

Einige Inkassokanzleien geben die Forderung wieder zurück an ein Inkassobüro. Bitte machen Sie sich keine Sorgen. Es handelt sich um ein Verfahren, das von zahlreichen Inkassokanzleien standardisiert angewendet wird, um bei Ihnen als vermeintlichem Schuldner Verwirrung zu stiften. Letztendlich bleibt es bei einer unberechtigten Forderung, die lediglich erneut durch einen anderen Inkassodienstleister angemahnt wird. Bitte halten Sie Ihren Widerspruch mit dem Musterbrief aus Kapitel 7.3 aufrecht und teilen dem Inkassobüro mit, dass es sich um eine widersprochene Forderung handelt und Sie keine Zahlungen leisten werden.

Andere Inkassokanzleien lassen Ihnen einen „gerichtlichen Mahnbescheid" zukommen, falls dauerhaft keine Zahlung Ihrerseits eingeht. Auch in einem solchen Fall besteht kein Anlass zur Sorge, denn ein Mahnbescheid ist lediglich eine andere Form der Mahnung, der Sie leicht widersprechen können. Sollten Sie einen Mahnbescheid erhalten, so lesen Sie hierzu bitte die in Kapitel 10 geschilderte Vorgehensweise.

9 Wichtige Hinweise zu Inkassomahnungen

9.1 Was macht ein Inkassobüro?

Ein Inkassodienstleister ist ein Unternehmen, das sich darauf spezialisiert hat, offene Forderungen von anderen Firmen *aufzukaufen* und im eigenen Namen vom Schuldner einzuverlangen. Inzwischen werden offene Forderungen größerer Unternehmen geschäftsmäßig und automatisiert an Inkassounternehmen verkauft. Ab diesem Moment fordert nicht mehr das Unternehmen die Zahlung, sondern das Inkassobüro.

Dieses muss ab dem Zeitpunkt des Forderungsankaufs auf eigenen Gewinn wirtschaften, da das Inkassounternehmen bereits Geld für den Forderungsankauf ausgegeben hat.

Das Inkassobüro versucht nun, über das Eintreiben der Forderung, diesen Betrag wieder einzuholen und darüber hinaus einen Gewinn zu erwirtschaften. Eventuelle Zahlungen würden nicht mehr an das ursprüngliche Unternehmen gehen, sondern nur noch an das Inkassobüro. Die ursprüngliche Firma hat mit Abgabe der Forderung an ein Inkassobüro meist nichts mehr mit dem Fall zu tun.

Weitere Schreiben direkt an das bisherige Unternehmen wären ergebnislos, da diese nur an das Inkassounternehmen weitergeleitet werden würden. Ebenso würden Zahlungen, die Sie an das ursprüngliche Unternehmen leisten, an den Inkassodienstleister weiter geleitet.

Hat ein Mobilfunkanbieter beispielsweise eine Forderung in Höhe von 100 Euro gegen seinen Kunden offen, und zahlt der Kunde dauerhaft nicht, so gibt der Mobilfunkanbieter irgendwann auf. Er verkauft diese Forderung über 100 Euro für einen Kaufpreis von beispielsweise 20 Prozent, also 20 Euro, an einen Inkassodienstleister. Dieses Inkassobüro hat damit 20 Euro ausgegeben, kann aber nach wie vor die gesamte Forderung von 100 Euro vom Kunden zur Zahlung einverlangen. Damit würde das Inkassobüro einen Gewinn von 80 Euro machen.

Da das Inkassounternehmen jedoch darauf aus ist, höchstmögliche Einnahmen zu erzielen, schlägt es auf die Forderung von 100 Euro noch zusätzliche Gebühren hinzu. So werden z.B. Zinsen, Inkassogebühren, Mahngebühren, Ermittlungskosten etc. zur Hauptforderung hinzugerechnet, so dass am Ende ein doppelt so hoher Betrag entstehen kann, als er gegenüber dem ursprünglichen Unternehmen geschuldet war.

9.2 Erfährt das Inkassobüro von meinem bereits geäußerten Widerspruch?

Leider ist es oftmals so, dass das Unternehmen, welches die Forderung an den Inkassodienstleister abgibt, nur den reinen Forderungsbetrag übermittelt. Es werden maximal einige zusätzliche Angaben wie beispielsweise das ursprüngliche Vertragsverhältnis, die Kundennummer, Datum der Fälligkeit etc. gemacht.

Ich kenne Fälle, in denen das automatisiert geschieht, so dass bei ausbleibendem Zahlungseingang das Computersystem des Unternehmens die offene Forderung automatisch an den Inkassodienstleister übermittelt, der diese dann in seinem Computersystem in Empfang nimmt. Hierfür werden vorab die entsprechenden Rahmenverträge und -bedingungen ausgehandelt, so dass der gesamte Vorgang am Ende weitgehend ohne menschlichen Eingriff stattfinden kann.

Vor allem größere Unternehmen handhaben das meiner Kenntnis nach so. Kundenfreundlich ist das nicht. Es besteht immer die Gefahr, dass der mit dem Kunden geführte Schriftwechsel buchstäblich auf der Strecke bleibt. Erhält das Inkassobüro lediglich die Rahmendaten der Forderung, weiß es über deren Entstehung und geäußerte Widersprüche nichts.

In meiner Tätigkeit als Rechtsanwalt muss ich immer wieder mit großem Erstaunen feststellen, dass so manches Inkassobüro überrascht ist, wenn ihm mitgeteilt wird, dass es sich um eine widersprochene Forderung handelt, und mit dem vorherigen Unternehmen bereits umfangreicher Schriftwechsel geführt wurde. Von daher ist es unbedingt notwendig, und von großer Wichtigkeit, dem Inkassobüro gegenüber noch einmal einen Widerspruch zu äußern.

9.3 Darf eine widersprochene Forderung an ein Inkassobüro verkauft werden?

Grundsätzlich sollte ein Unternehmen, dessen Kunde einer Forderung widersprochen hat, zusammen mit diesem eine einvernehmliche Lösung finden. Stattdessen werden unbezahlte Forderungen mit den immer gleichen Standardschreiben angemahnt und schließlich an den Inkassodienstleister abgegeben. Kundenfreundliches Verhalten sieht anders aus, rechtlich zulässig ist es aber. Jeder Inhaber einer Forderung darf diese an ein anderes Unternehmen oder eine andere Person verkaufen, wenn die rechtlichen Rahmenbedingungen eingehalten werden.

9.4 Darf das Inkassobüro widersprochene Forderungen annehmen?

Viele Inkassounternehmen schreiben in ihre Geschäftsbedingungen den Grundsatz, dass nur berechtigte und unbestrittene, also nicht-widersprochene Forderungen, angenommen werden. Leider halten sich daran die wenigsten Inkassodienstleister. Alle Forderungen werden aufgekauft, egal ob rechtmäßig oder unrechtmäßig, egal ob bestritten oder unbestritten.

Sicherlich hängt dies damit zusammen, dass das Inkassounternehmen einen größtmöglichen Gewinn erzielen möchte, und daher auf den Ankauf jeder einzelnen Forderung angewiesen ist. In vielen Fällen erfährt das Inkassobüro überhaupt nicht davon, dass es sich um eine unrechtmäßige und widersprochene Forderung handelt. Wie oben bereits erwähnt, laufen zahlreiche Forderungsverkäufe inzwischen vollautomatisiert ab. Eine einzelne Sachverhaltsüberprüfung bleibt auf der Strecke.

9.5 Kann ich dem Inkassobüro eine gütliche Einigung vorschlagen?

Ich erlebe es immer wieder, dass Inkassounternehmen durchaus zu einer gütlichen Einigung bereit sind. Teilweise kann der Forderungsbetrag durch eine solche Einigung erheblich reduziert werden, manchmal auf bis zu zehn Prozent der ursprünglichen Summe.

Wie bereits dargestellt, kommt es vor, dass das Inkassobüro die Forderung aufgekauft hat, ohne zu wissen ob diese berechtigt oder unberechtigt ist. Der Inkassodienstleister hofft, durch das Eintreiben der Forderung einen größtmöglichen Gewinn zu erzielen. Geht nun ein vermeintlicher Schuldner in Widerspruch und begründet diesen ausführlich, so erkennt das Inkassobüro, dass es von diesem Schuldner vermutlich keine Zahlung erlangen wird. Der Forderungsankauf wäre ein Verlustgeschäft.

Handelt es sich um einen eher kleinen Geldbetrag, so würde sich selbst ein gerichtliches Klageverfahren nicht rentieren. Das Inkassobüro muss im schlimmsten Fall damit rechnen, aufgrund des sich wehrenden Schuldners überhaupt keine Zahlungen zu erhalten.

In einem solchen Fall erscheint es für das Inkassounternehmen als das kleinere Übel, im Rahmen einer gütlichen Einigung wenigstens etwas Geld zu erhalten, und damit zumindest die Kosten für den Forderungseinkauf wieder hereinzuholen.

Ziehen wir das bereits oben erwähnte Beispiel noch einmal heran: Hat das Inkassobüro eine Forderung im Wert von 100 Euro für 20 Euro aufgekauft, so wird es vom vermeintlichen Schuldner vermutlich inklusive Gebühren und Zinsen einen Gesamtbetrag von ca. 150 Euro verlangen. Schlägt der Schuldner eine gütliche Einigung über 20 Prozent des Gesamtforderungsbetrags vor, so würde das einem Betrag von 30 Euro entsprechen. Das Inkassounternehmen erklärt sich einverstanden, da sogar dieser Teilbetrag von 20 Prozent über dem Betrag liegt, den es für den Ankauf der Forderung bezahlen musste. Bevor es überhaupt keinen Zahlungseingang verbuchen kann, greift das Inkassobüro lieber zu diesen 30 Euro.

Erklärt sich der Inkassodienstleister mit der gütlichen Einigung einverstanden, so ist die Angelegenheit vollständig beendet. Der vermeintliche Schuldner muss keine weiteren Mahnungen oder ein evtl. drohendes Gerichtsverfahren fürchten. Von daher kann es sich für den Schuldner lohnen, eine Einigung vorzuschlagen, da zwar ein gewisser Betrag entrichtet werden muss, die Angelegenheit dafür friedlich beendet wurde.

9.6 Sind die Inkassokosten berechtigt?

Inkassokosten (Inkassogebühren, Verzugszinsen, Mahnkosten, Bearbeitungsgebühren, Ermittlungskosten etc.) fallen unter den Begriff „Verzugskosten". Das sind Kosten, die Sie nur dann begleichen müssen, wenn Sie sich „im Verzug" befinden. Im Verzug sind Sie dann, wenn Sie eine fällige Forderung nicht rechtzeitig bezahlen.

Das Problem dabei ist, dass gegen Sie überhaupt keine reale Forderung vorliegt. Der Drittanbieter besitzt keine vertragliche Grundlage, auf deren Basis er gegen Sie eine Forderung erheben könnte. Zudem hat er Ihnen keinerlei Leistungen erbracht. Stellt der Drittanbieter eine Rechnung, so handelt es sich dabei um ein Fantasiegebilde, eine Forderung ohne jegliche Grundlage. Liegt keine reale Forderung gegen Sie vor, können Sie aufgrund einer Nichtbezahlung nicht in Verzug geraten, müssen somit keine Verzugskosten begleichen.

Selbst wenn eine berechtigte Forderung vorläge, so wäre diese nicht „fällig", dürfte vom Drittanbieter also nicht gegen Sie gerichtet werden, da dieser bislang keine Leistungen an Sie erbracht hat. Sie sind dann berechtigt, die angeblich von Ihnen geschuldete Zahlung nach §320 BGB zurückzuhalten. Das führt dazu, dass die Forderung nicht fällig wird, somit kein Verzug eintreten kann. So oder so, die Inkassokosten sind unberechtigt und müssen von Ihnen nicht bezahlt werden.

9.7 Darf das Inkassobüro einen Gerichtsvollzieher beauftragen?

Bitte machen Sie sich deswegen keine Sorgen, diese Gefahr besteht nicht. Die Beauftragung eines Gerichtsvollziehers, der Antrag auf Lohn- und Gehaltspfändung oder die Pfändung eines Bankkontos ist erst dann möglich, wenn gegen Sie ein rechtskräftiger „Titel" vorliegt. Das heißt, entweder müsste ein Gerichtsurteil gegen Sie ergangen sein, oder es muss Ihnen ein Mahnbescheid und anschließend ein Vollstreckungsbescheid zugegangen sein, ohne dass Sie Widerspruch eingelegt haben.

Alleine durch die Beauftragung eines Inkassounternehmens liegt ein solcher Titel nicht vor. Dennoch drohen viele Inkassodienstleister derartige Konsequenzen an, um den vermeintlichen Schuldner zur schnellen Zahlung zu bewegen. Bitte lassen Sie sich davon nicht täuschen.

9.8 Darf ein Inkassounternehmen einen Schufa-Negativeintrag veranlassen?

Ein Inkassodienstleister darf, stellvertretend für das ursprüngliche Unternehmen, grundsätzlich einen Negativeintrag in Ihrem Schufa-Datenbestand hinterlassen. Allerdings nur dann, wenn das Inkassobüro Vertragspartner der Schufa ist. Zudem muss es Sie mindestens zweimalig im Abstand von vier Wochen gemahnt haben, unter Hinweis auf einen bevorstehenden Schufa-Eintrag, und es darf kein Widerspruch gegen die Forderung eingegangen sein.

Hat das Inkassobüro nicht ausreichend gemahnt, oder haben Sie Widerspruch gegen die Mahnung eingelegt, so ist ein dennoch ergangener Schufa-Negativeintrag rechtswidrig und muss wieder gelöscht werden. Bitte informieren Sie sich im Kapitel 11.9 über die Schufa zu näheren Details.

Da ein Inkassobüro die Möglichkeit hat, einen Schufa-Negativeintrag zu setzen, sollten Sie einer Inkassomahnung unbedingt einen schriftlichen Widerspruch entgegenstellen. Eine widersprochene unberechtigte Forderung darf nicht in die Schufa eingetragen werden. In diesem Ratgeber wird Ihnen genau geschildert, wie Sie gegen die Mahnung eines Inkassobüros oder einer Inkasso-Rechtsanwaltskanzlei Widerspruch einlegen, so dass Ihnen kein Schufa-Eintrag droht.

10 Widerspruch gegen einen Mahnbescheid

In einigen Fällen beantragt die Gegenseite einen „gerichtlichen Mahnbescheid". Das ist eine Mahnung, die Sie direkt von einem Gericht erhalten. Bitte machen Sie sich deswegen keine Sorgen, es handelt sich dabei um kein gegen Sie gerichtetes Klageverfahren, sondern nach wie vor lediglich um eine besondere Art von Mahnung.

10.1 Was ist ein gerichtlicher Mahnbescheid?

Einen Mahnbescheid bekommen Sie direkt von der Mahnabteilung eines Amtsgerichts zugeschickt. Meist kommt der Brief in einem gelben Umschlag, auf dem außen das Datum der Zustellung notiert ist. Im Inneren des Briefes finden Sie ein doppelseitiges grau-weißes dickes Papier mit der Überschrift „Mahnbescheid".

Auf der linken Seite in der unteren Hälfte finden sich Angaben zum veranlassenden Unternehmen (Mobilfunkanbieter oder Drittanbieter) und der jeweiligen Rechtsanwaltskanzlei oder dem Inkassodienstleister, der das Unternehmen vertritt, sowie deren geltend gemachten Kosten. In der oberen linken Hälfte stehen die Angaben zum versendenden Amtsgericht und dessen Mahnabteilung. Auf der rechten Seite des Mahnbescheids finden sich die Hauptforderung und die Nebenforderungen.

Die Mahnung durch einen Mahnbescheid kann von jedermann bei Gericht "gekauft" werden, sie kostet lediglich ab 23,00 EUR, und wird von keinem einzigen Richter überprüft. Es ist ein automatisiertes Verfahren, welches online über das Internet beauftragt werden kann.

10.2 Welchem Zweck dient ein Mahnbescheid?

Ursprünglich wollte der Gesetzgeber mit dem Mahnbescheid ein einfaches Verfahren einführen, um dem Gläubiger einen „Titel" zu verschaffen. Ein Titel ist eine Urkunde, mit deren Hilfe die Zwangsvollstreckung in das Vermögen des Schuldners betrieben werden kann.

Im Normalfall entsteht ein solcher Titel dadurch, dass gegen den Schuldner vor Gericht ein Urteil gesprochen wird. Das Urteil stellt einen Titel dar, auf dessen Basis der Schuldner verpflichtet ist, den im Urteil benannten Betrag an den Gläubiger zu bezahlen. Mit Hilfe eines Titels kann der Gläubiger bei Nichtzahlung einen Gerichtsvollzieher beauftragen, der die Zwangsvollstreckung vornimmt. Nur mit Hilfe des Titels kann eine Konto- oder Gehaltspfändung beantragt werden. Zudem hat ein Titel den Vorteil, dass er erst nach 30 Jahren verjährt. Die normale Verjährungsfrist ohne Titel wäre drei Jahre.

Insofern verschafft ein Titel dem Gläubiger ein sehr wichtiges Dokument, um langfristig sein Geld zu erhalten. Ist der Schuldner momentan zahlungsunfähig, so kann der Gläubiger ein paar Jahre abwarten und das Geld später noch einmal verlangen. Immerhin hat er 30 Jahre Zeit. Verweigert der Schuldner die Zahlung, so kann der Gläubiger aufgrund des Titels einen Gerichtsvollzieher beauftragen und damit mit staatlicher Hilfe das geschuldete Geld erlangen.

Nun ist es so, dass nicht jede unbezahlte Forderung gleichzeitig unberechtigt ist. Oftmals erfolgt die Nichtzahlung seitens des Schuldners schlicht und einfach aus dem Grund, weil dieser momentan einen finanziellen Engpass hat. Er erkennt die Forderung zwar als berechtigt an, kann diese zum jetzigen Moment aber nicht bezahlen.

Für den Gläubiger besteht in einem solchen Fall die Gefahr, dass die Forderung nach drei Jahren verjährt. Er benötigt daher die Sicherheit, dass er die Zahlung vom Schuldner noch in vielen Jahren verlangen kann. Dazu braucht er einen rechtskräftigen Titel, der ihm das Einfordern des Zahlbetrags innerhalb von 30 Jahren ermöglicht. Es würde sich in solchen Fällen nicht rentieren, ein gerichtliches Klageverfahren anzustrengen, nur um einen Titel zu erhalten. Zudem würde dadurch die Gerichtsbarkeit unnötig belastet.

Um hier Abhilfe zu schaffen, hat der Gesetzgeber das Verfahren des Mahnbescheids erschaffen. Für berechtigte und unbestrittene Forderungen kann der Gläubiger dem Schuldner einen Mahnbescheid zukommen lassen. Anschließend erhält der Schuldner einen Vollstreckungsbescheid, welcher letztendlich einen „Vollstreckungstitel" darstellt, und dem Gläubiger die Möglichkeit gibt, die offene Forderung 30 Jahre lang vom Schuldner zur Zahlung zu verlangen.

10.3 Warum wird ein Mahnbescheid zweckentfremdet?

Inzwischen nutzen immer mehr Inkassounternehmen und Inkassokanzleien den Mahnbescheid dazu, um zusätzlichen Zahlungsdruck auf den vermeintlichen Schuldner aufzubauen. Selbst wenn es sich um eine unberechtigte Forderung handelt, die der Schuldner durch Widerspruch eindeutig bestritten hat, lassen sie diesem einen gerichtlichen Mahnbescheid zukommen.

Auf viele macht es natürlich Eindruck, wenn plötzlich eine Zahlungsaufforderung von Gericht kommt. Die wenigsten wissen, dass die Forderung überhaupt nicht durch das Gericht überprüft wurde. Sie fürchten, dass das gerichtliche Klageverfahren bereits begonnen hat, und zahlen die unberechtigte Forderung.

Damit wird der Mahnbescheid zweckentfremdet. Bereits an der Universität lernt jeder Jurist, dass ein Mahnbescheid bei widersprochenen Forderungen nicht eingesetzt werden sollte. Leider missachten viele Inkassobüros und Rechtsanwaltskanzleien diesen Grundsatz und nutzen das Mahnbescheidsverfahren einzig und alleine um dem Schuldner Angst zu machen und ihn auf unseriöse Weise zur Zahlung zu bewegen.

10.4 Darf ein Mahnbescheid ergehen, trotz Widerspruch gegen die Forderung?

Wie eben geschildert, ist ein Mahnbescheid grundsätzlich nur für berechtigte und unbestrittene Forderungen gedacht, also Schuldbeträge, gegen die kein Widerspruch eingelegt wurde. Handelt es sich um einen vernünftigen und seriösen Anwalt, so wird er bei einer bestrittenen Forderung keinen Mahnbescheid beantragen.

Erlaubt wäre es natürlich, der Mahnbescheid kann in rechtlicher Hinsicht auch bei widersprochenen Forderungen zum Einsatz kommen. Haben Sie gegen eine Forderung Widerspruch eingelegt, und erhalten dennoch einen Mahnbescheid, so können Sie daran erkennen, dass Sie es mit einem unseriösen Inkassounternehmen oder einer unseriösen Anwaltskanzlei zu tun haben.

10.5 Wie lege ich gegen den Mahnbescheid Widerspruch ein?

Dem Mahnbescheid liegt eine Erläuterung und ein Widerspruchsformular bei. Auf diesem Formular, meist in rosaner Farbe gedruckt, müssten Sie ein einziges Kreuzchen bei "Ich widerspreche dem Anspruch insgesamt" setzen, unten rechts auf dem Feld „Unterschrift" unterschreiben, Ihre Absenderadresse unten links im Feld „Bezeichnung des Absenders" einsetzen und umgehend an das Gericht zurücksenden, von dem der Mahnbescheid kam.

Der Widerspruch muss innerhalb von zwei Wochen rechtzeitig bei Gericht eingegangen sein. Das ist sehr wichtig. Ich empfehle eine Zusendung vorab per Fax, zusätzlich zur normalen Post per Einschreiben mit Rückschein. Damit ist der Mahnbescheid widersprochen und kann keine Rechtskraft entfalten.

10.6 Soll ich einen Komplett- oder Teilwiderspruch einlegen?

Bitte widersprechen Sie immer dem gesamten Anspruch. Legen Sie auf keinen Fall lediglich einen Teilwiderspruch ein. Sonst entsteht hinsichtlich des Anteils, dem Sie im Mahnbescheid nicht widersprochen haben, eine berechtigte Forderung, die dann in Rechtskraft erwächst und von Ihnen einverlangt werden kann.

Das große Problem an einem Teilwiderspruch ist dasjenige, dass unseriöse Inkassounternehmen bzw. Inkassokanzleien hinsichtlich dieses Teilbetrags einen Schufa-Negativeintrag veranlassen. Dieses Risiko ist zu hoch. Sollte ein Teil der Forderung, die im Mahnbescheid benannt wird, tatsächlich berechtigt sein, so legen Sie dennoch gegen den Gesamtbetrag Widerspruch ein, und klären den berechtigten Anteil direkt mit dem Inkassodienstleister, evtl. im Rahmen einer gütlichen Einigung.

10.7 Reaktion des Inkassounternehmens nach Widerspruch gegen den Mahnbescheid

In einigen Fällen reagiert das Inkassounternehmen oder die beauftragte Anwaltskanzlei mit einem weiteren Schreiben an den vermeintlichen Schuldner, in dem darauf hingewiesen wird, dass ein Widerspruch eingelegt wurde. Im selben Schreiben bittet das Inkassobüro um eine Begründung, warum dem Mahnbescheid widersprochen wurde, und fordert Sie zur Rücknahme des Widerspruchs auf. Manchmal wird sogar ein Formular beigefügt, mit Hilfe dessen der Widerspruch beim Mahngericht zurückgenommen werden soll.

Bitte leisten Sie dieser Aufforderung in keinem Fall Folge. Natürlich kennt das Inkassounternehmen bereits den Grund für Ihren Widerspruch, es verwendet lediglich ein Standardschreiben um Sie erneut zu verunsichern und Sie für eine Rücknahme des Widerspruchs zu überzeugen. Auf das Schreiben des Inkassounternehmens können Sie wie folgt per E-Mail reagieren:

An
(Name des Inkassobüros)
(Straße, Hausnummer)
(Postleitzahl, Stadt)

Nur per E-Mail an: (E-Mail-Adresse des Inkassounternehmens)

Angelegenheit (Auftraggeber) ./. (Ihr Name)
Ihr Aktenzeichen: (Aktenzeichen des Inkassobüros)
Widerspruch gegen Ihren Mahnbescheid vom (Datum) über (Betrag)
Aufrechterhaltung des Widerspruchs

Sehr geehrte Damen und Herren,
ich habe gegen den Mahnbescheid Widerspruch eingelegt, da es sich um eine vollständig unberechtigte Forderung handelt. Das ist Ihnen bereits bekannt, der Forderung wurde schriftlich widersprochen, mit der entsprechenden rechtlichen Begründung. Weitere Stellungnahmen meinerseits werden hierzu nicht erfolgen. Sollten Ihrerseits erneut Mahnschreiben ergehen, so werde ich hierauf nicht mehr reagieren. Ich halte meinen Widerspruch konsequent aufrecht, eine Zahlung wird nicht erfolgen.

Mit freundlichen Grüßen
(Ihr Name)
(Ort, Datum)

11 Wichtige allgemeine Hinweise

11.1 Was gilt bei Drittanbietern auf Festnetzrechnungen?

Im Normalfall finden sich Drittanbieterbeträge auf Handyrechnungen, da die meisten Bezahlvorgänge von Fremdunternehmen über den Mobilfunkanschluss abgerechnet werden. Eher selten sind Festnetzrechnungen betroffen, doch auch hier kann es zu unberechtigten Rechnungsposten kommen, wenn beispielsweise angeblich angewählte teure Servicerufnummern abgerechnet werden, oder wenn sich Kosten für Online-Spiele-Zusatzleistungen auf der Rechnung finden. In einem solchen Fall können Sie diesen Ratgeber selbstverständlich genauso anwenden.

11.2 Wie kommen die Drittanbieter auf meine Handyrechnung?

In vielen Fällen ist es leider tatsächlich so, dass die Drittanbieterleistungen einen Weg auf Ihre Handyrechnung finden, ohne dass Sie es merken. Ein rechtlich wirksamer Vertrag wird dabei nicht geschlossen, so dass Sie die abgerechneten Leistungen ohne vertragliche Grundlage auch nicht bezahlen müssen.

Werbebanner in Apps: Inzwischen existieren im Smartphonebereich beispielsweise Apps, bei denen alleine ein Klick auf ein Werbebanner die Abrechnung eines Zusatzdienstes auslöst. Die App übermittelt Ihre Handynummer an den Provider, und dieser gibt die Daten weiter an den Drittanbieter. Der erhält die Information, dass Sie das Werbebanner angeklickt haben und berechnet einen bestimmten Betrag. Legal ist diese Vorgehensweise nicht, findet aber in der Realität tatsächlich statt. Selbstverständlich müssen Sie derart entstandene Fremdanbieterleistungen nicht bezahlen.

Virus oder Trojaner: Ein anderer illegaler Weg geschieht über die Ausnutzung eines Trojaners bzw. eines Handyvirus. Dieser schleust sich auf Ihrem Smartphone ein und sendet unbemerkt Verbindungsdaten an den Drittanbieter. Das geschieht in einer Weise, dass später der Mobilfunkanbieter nicht feststellen kann, ob Sie die Leistung freiwillig oder unfreiwillig in Anspruch genommen haben. Natürlich wurden diese Trojaner ursprünglich dafür programmiert, dass sie genau diese Aufgabe übernehmen, und damit einen entsprechenden höheren Gewinn bei den Drittanbietern erzeugen. Nachweisen lässt sich das nicht, stellt aber einen Vorgang dar, der zu rechtswidrig hervorgebrachten Positionen auf der Handyrechnung sorgt.

Aufgedrängtes Abonnement: Andere Fälle beginnen zunächst in legaler Weise: Der Kunde möchte einen Klingelton, einen Film oder ein Bild auf sein Handy herunterladen. Sicherlich kennen Sie die entsprechende Werbung im Fernsehen. Man sendet eine SMS an eine bestimmte Kurzwahlnummer, und anschließend erhält man das gewünschte Extra auf seinem Mobiltelefon.

Was die Drittanbieter dabei verschweigen, ist der Umstand, dass Sie diese Leistung nicht nur einmal erhalten, sondern in Form eines Abonnements. Sie bekommen jede Woche einen Klingelton, einen Handydisplay-Hintergrund oder einen Film/ein Spiel im Abo. Es handelt sich damit im wahrsten Sinne des Wortes um eine Abofalle. Der Hinweis auf diese Abo-Regelung ist zu klein, als dass Sie ihn lesen könnten. Er befindet sich in der TV-Werbung ganz klein gedruckt am unteren oder oberen Bildschirmrand und wird nur für wenige Sekunden eingeblendet. Ein wirksamer Abo-Vertrag kommt in rechtlicher Hinsicht auf diese Weise nicht zustande.

Die Rechnung für das wöchentliche Abo fordert anschließend Ihr Mobilfunkanbieter ein. Eigentlich müssen Sie in derartigen Fällen lediglich eine einmalige Leistung bezahlen, also einen Klingelton, ein Spiel, einen Bildschirmhintergrund oder ein Handyvideo. Sie sind nicht dazu verpflichtet, diese Leistung jede Woche in Form eines Abos zu bezahlen, da hierfür keine vertragliche Grundlage vorliegt. Die verkauften Leistungen werden vermutlich absichtlich als Abonnements gestaltet, um höheren Gewinn zu erzielen. Der Verkauf einer einzelnen Einheit rentiert sich nicht, so dass ein wöchentlicher Verkauf zu viel höheren Einnahmen des Drittanbieters führt.

Zusatzleistungen in Spielen: Eine weitere Möglichkeit, wie sich Drittanbieter auf Ihre Mobilfunkrechnung schleichen, ist diejenige über Online-Computerspiele. Haben Sie beispielsweise Kinder, die regelmäßig Online-Spiele nutzen, so kann es sein, dass Ihre Kinder über die Handyrechnung kostenpflichtige Zusatzdienste im Spiel erwerben („Ingame"-Leistungen). Ein Spiel, das zunächst als kostenlos angepriesen wird („FreeToPlay"-Titel, oder auch „Free2Play-Games") versucht über Verkäufe direkt während des Spiels Einnahmen zu erzielen.

So können die Spieler auf diese Weise kostenpflichtige Zusatzleistungen oder Ausrüstungsgegenstände erwerben. Die Abrechnung geschieht über die Handyrechnung und wird dort von spezialisierten Drittanbieterfirmen vorgenommen.

Gegen diese Abrechnung sprechen zahlreiche rechtliche Aspekte, Sie müssen das nicht widerspruchslos hinnehmen. Gerade wenn minderjährige Kinder involviert sind, bietet sich für Sie als Elternteil immer die Möglichkeit, einen solchen Vertrag nicht zu genehmigen. Ohne die elterliche Genehmigung kommt der Vertrag nie zustande, so dass Rechnungsbeträge überhaupt nicht erstellt werden dürfen.

Unbekannte Quellen: In zahlreichen Fällen kommt es vor, dass die Drittanbieter ohne erkennbaren äußeren Grund ihren Einzug auf die Handyrechnung finden. Trotz intensiver Recherche findet sich keine Möglichkeit, wie die vom Fremdanbieter abgerechnete Leistung auf die Mobilfunkrechnung geraten konnte. Name und angebliche Dienstleistung des Fremdanbieters bleiben völlig unbekannt. Es kann in solchen Fällen davon ausgegangen werden, dass es sich um einen illegalen Abrechnungsversuch handelt, den der Mobilfunkkunde nicht hinnehmen muss.

11.3 Darf mein Mobilfunkanbieter überhaupt Drittanbieter abrechnen?

Betrachtet man diese Frage in rechtlicher Hinsicht ganz streng, so ist dies eigentlich nicht erlaubt. Sie schließen mit Ihrem Mobilfunkanbieter einen Vertrag ab, der aus zwei Seiten besteht, Ihnen und dem Anbieter. Im Rahmen dieses zweiseitigen Vertragsverhältnisses hat jede Seite nur die Rechte und Pflichten, die unmittelbar aus dem abgeschlossenen Hauptvertrag hervorgehen. Das heißt, Ihr Mobilfunkanbieter darf Ihnen lediglich die selbst erbrachten Leistungen (Grundgebühr, Telefonate, SMS, MMS, Internetnutzung, Flatrates etc.) auf die Rechnung setzen. Sie stehen in der Pflicht, nur diese Posten bezahlen zu müssen. Der Anbieter darf keine Leistungen von anderen Unternehmen auf die Rechnung setzen.

Mobilfunkanbieter handhaben die Abrechnung von Drittanbietern jedoch so, dass sie in die „Allgemeinen Geschäftsbedingungen" (kurz „AGBs", oder das „Kleingedruckte") Regelungen aufnehmen, die genau das erlauben. Dort steht dann beispielsweise, dass über die Handyrechnung Leistungen von anderen Unternehmen abgerechnet werden dürfen.

Der Kunde erfährt davon in aller Regel nichts, denn bei Vertragsschluss liest er meist das Kleingedruckte nicht. Ihm sind lediglich die wenigen Regelungen des Hauptvertrages bekannt. Würde dort groß und deutlich stehen, dass der Mobilfunkanbieter Dienste von Fremd-/Drittanbietern abrechnen darf, so wäre der Kunde gewarnt. Leider ist dem nicht so. Damit erlebt der Kunde die Überraschung erst dann, wenn die fremden Leistungen plötzlich auf der Rechnung erscheinen.

Grundsätzlich können in den Allgemeinen Geschäftsbedingung nur Punkte geregelt werden, die eher allgemein und für den Vertragsschluss nicht wesentlich sind. Das ist der Grundgedanke, den der Gesetzgeber für das Kleingedruckte vorgesehen hat. Das heißt, eigentlich sind die Allgemeinen Geschäftsbedingungen dafür gedacht, einen Vertragsabschluss zu vereinfachen. Ein Vertrag soll nicht aus vielen dutzend Seiten bestehen und dadurch unübersichtlich werden. Nur ganz allgemeine Dinge, die der Händler oder das Unternehmen in jedem Vertrag geregelt wissen möchte, dürfen in die Allgemeinen Geschäftsbedingungen Einzug finden.

Das wiederum bedeutet, dass dort keine Überraschungen auf den Kunden warten sollten. Der Kunde muss darauf vertrauen, dass im Kleingedruckten nichts für ihn wesentliches steht. Vor allem dürfen dort keine Regelungen zu finden sein, die den Hauptvertrag abändern oder so wesentlich für den Vertragsschluss sind, dass diese in den Hauptvertrag hätten mit aufgenommen werden müssen. Eigentlich sollten Allgemeine Geschäftsbedingungen vom Inhalt her so gestaltet sein, dass der Kunde sie überhaupt nicht lesen muss, weil er darauf vertrauen darf, dass dort nichts außergewöhnlich nachteiliges für ihn stehen kann.

Nach diesem Grundgedanken der Allgemeinen Geschäftsbedingungen ist es den Mobilfunkanbietern nicht erlaubt, Regelungen in Bezug auf Fremdanbieter in das Kleingedruckte zu setzen. Es handelt sich hierbei um für den Vertragsschluss so wesentliche und wichtige Regelungen, dass diese im Hauptvertrag stehen müssten. Befinden sich die Drittanbieter-Regelungen nur im Kleingedruckten, so sind diese nicht wirksam in den Mobilfunkvertrag mit aufgenommen.

Letztendlich bedeutet das, dass Ihr Mobilfunkanbieter in aller Regel keine rechtliche Grundlage hat, um Ihnen Fremdleistungen auf der Handyrechnung abzurechnen. Ihr Anbieter hätte bei Vertragsschluss im Hauptvertrag, also auf den Dokumenten die Sie unterschreiben, die Abrechnung für Fremdanbieter darstellen müssen. Leider sieht es in der Praxis so aus, dass sich solche wichtige Hinweise nicht im Hauptvertrag befinden, sondern immer nur in den Allgemeinen Geschäftsbedingungen. Alleine schon aus diesem Grund fehlt es Ihrem Anbieter an einer vertraglichen Grundlage, um Ihnen fremde Leistungen und Dienste von Drittanbietern in Rechnung stellen zu dürfen.

Sobald Sie eine Leistung auf Ihrer Handyrechnung entdeckt haben, die Sie nicht kennen und nie in Anspruch genommen haben, sollten Sie Widerspruch bei Ihrem Anbieter einreichen. Aufgrund dieses Rechnungswiderspruchs ist Ihr Mobilfunkanbieter verpflichtet, die entsprechenden Rechnungspositionen zu entfernen.

Stellen Sie sich vor, Sie kaufen ein neues Auto und unterzeichnen im Autohaus den Kaufvertrag. Am nächsten Tag stellt Ihnen der Autohändler nicht nur das Auto, sondern zusätzlich ein Motorrad vor die Tür. Natürlich verlangt er für beide Fortbewegungsmittel eine Bezahlung. Sie fragen den Händler, warum Sie ein Motorrad bezahlen sollen. Er antwortet, dass Sie den Kaufvertrag unterzeichnet haben, und dort stehe im Kleingedruckten, dass auch Leistungen anderer Unternehmen auf die Autorechnung gesetzt werden dürfen. Sie wundern sich und fragen, auf welcher vertraglichen Grundlage Sie denn ein Motorrad erworben haben sollen, wann und von wem. Der Autohändler antwortet abweisend, das ist ihm egal, das Motorrad sei nun mal da und müsse von Ihnen bezahlt werden. Es stammt von einem Motorradhändler aus der Umgebung, wenn Sie Einwendungen gegen den Kauf des Motorrads haben, dann sollen Sie das doch bitte mit dem anderen Händler klären. Dem Autoverkäufer sei das egal, er habe bereits die Kosten für das Motorrad übernommen und möchte diese nun von Ihnen ersetzt haben.

Ein übertriebenes Beispiel, aber vom Grundsatz her läuft es im Bereich zwischen Mobilfunkanbieter und Drittanbieter ähnlich ab. Nur, dass es hier um wesentlich kleinere Geldbeträge geht, so dass es vielen Kunden egal ist, wenn ein unbekannter, zusätzlicher Anbieter auf der Handyrechnung auftaucht.

11.4 Das Problem der kleinen Beträge

Meist handelt es sich um Kleinstbeträge im Bereich von wenigen Euro. Kommt es zu einem unberechtigten Rechnungsposten über ein paar Euro, so nehmen es viele Kunden hin und zahlen den Betrag. Für die Zukunft bitten sie ihren Mobilfunkanbieter um eine Sperrung der Drittanbieter und kümmern sich nicht weiter um die Angelegenheit. Darauf setzen zahlreiche Fremdanbieter. Sie rechnen damit, dass es dem Kunden egal ist, wenn dieser ein paar Euro für ein angebliches Abo bezahlen muss. Sie gehen davon aus, dass der Aufwand der Nachforschung und des Widerspruchs für die meisten Handynutzer einfach zu groß wäre.

Die illegale Abbuchung dieser kleinen Beträge bleibt damit unbestraft, führt bei einigen tausend Betroffenen auf Seiten des Drittanbieters aber zu einem sehr hohen Gewinn. Würde von Anfang an ein wesentlich größerer Betrag auf die Mobilfunkrechnung gesetzt, so würden mehr Kunden gegen die Abbuchung vorgehen. Der Drittanbieter könnte sein Unternehmen angesichts zahlreicher Proteste, Klagen und Strafanzeigen bald aufgeben. Doch durch die Geltendmachung von Kleinstbeträgen geschieht nichts, die rechtswidrige Erlangung von Geldern geht weiter.

11.5 Leistungen der Drittanbieter werden nicht in der Rechnung benannt

Eine weitere Erschwernis kommt für den Mobilfunkkunden dadurch hinzu, dass die konkreten Leistungen der Premiumdienste nicht auf den Handyrechnungen benannt werden. Betrachten Sie Ihre Handyrechnung, so findet sich dort der Eintrag „Beträge anderer Anbieter" mit einer namentlichen Auflistung der aktiven Drittanbieter, einer kurzen Kennzeichnung wie z.B. „Abo", sowie der von ihnen eingeforderten Beträge. Sie erfahren nicht, wofür das Geld zu bezahlen ist.

Insofern handelt es sich in rechtlicher Hinsicht streng genommen um eine fehlerhafte Rechnung. Eine ordnungsgemäße Abrechnung muss Ihnen deutlich machen, welchen Betrag Sie an wen und für welche Leistung bezahlen müssen. Hierüber schweigt die Handyrechnung. Selbst auf Nachfrage des Kunden gibt der Mobilfunkanbieter keinen Hinweis darauf, wofür der Betrag zu bezahlen ist. Insofern sind Sie, streng rechtlich betrachtet, alleine schon aus diesem Grund zu keiner Zahlung verpflichtet. Erst nach Erhalt einer ordnungsgemäßen Rechnung, die Ihnen mitteilt, für welche konkreten Leistungen Sie bezahlen müssen, sind Sie zu einer Zahlung verpflichtet.

11.6 Wie buche ich eine Lastschrift zurück?

Hat der Mobilfunkanbieter bereits den gesamten Rechnungsbetrag von Ihrem Bankkonto per Lastschrift abgebucht, inklusive des unberechtigten Drittanbieteranteils, so können Sie diese Abbuchung rückgängig machen. Dazu gehen Sie direkt zu Ihrer Bank und bitten um Rückbuchung der konkreten Lastschrift.

Im Normalfall ist das innerhalb von wenigen Minuten geschehen. Sie müssen sich nicht gegenüber dem Bankmitarbeiter rechtfertigen, da Sie das Recht auf Rückbuchung ohne Angabe von Gründen haben. Sollte der Bankangestellte nachfragen, so können Sie ohne Bedenken die Wahrheit sagen, dass Ihr Mobilfunkanbieter eine viel zu hohe Rechnung abgebucht hat, die Leistungen von Ihnen unbekannten Fremdfirmen enthält.

Nach erfolgter Rückbuchung des gesamten Rechnungsbetrags überweisen Sie anschließend lediglich den berechtigten Teilbetrag an Ihren Mobilfunkanbieter. Ziehen Sie vom Gesamtrechnungsbetrag die Anteile der Drittanbieterpositionen ab, und bezahlen Sie lediglich die berechtigten Anteile für Grundgebühr, Telefonate, SMS, etc.

Bei immer mehr Banken ist eine Rückbuchung direkt über das Online-Banking möglich. Entsprechende rückbuchfähige Lastschriften sind mit einem bestimmten Symbol gekennzeichnet. Ein Klick auf diesen Button genügt, um die Rückbuchung auszulösen.

Inzwischen finden Abbuchungen von größeren Unternehmen ausschließlich im SEPA-Lastschriftverfahren statt. Wie zuvor eine normale Lastschrift kann auch eine SEPA-Lastschrift rückgängig gemacht werden. Leider wurden die Rückbuchungsfristen zum Nachteil des Kunden etwas verkürzt, liegen aber mit acht Wochen ab dem Zeitpunkt der Kontoabbuchung noch immer im Rahmen des machbaren.

Handelt es sich um eine rechtswidrige Abbuchung ohne vertragliche Grundlage, so können Sie die Abbuchung sogar innerhalb eines Zeitraums von 13 Monaten rückgängig machen.

Da es sich bei Drittanbieter-Problematiken meist um Abbuchungen seitens Ihres Mobilfunkanbieters handelt, liegt zunächst eine berechtigte Lastschrift vor. Sie haben mit Ihrem Anbieter einen Vertrag abgeschlossen und ihm die Bankeinzugsermächtigung erteilt. Daher gilt für Sie die Frist von acht Wochen ab Abbuchung. Die 13-monatige Frist wäre für Sie nur dann relevant, wenn die Abbuchung direkt vom Drittanbieter vorgenommen werden würde, ohne dass Sie diesem zuvor die Bankeinzugsermächtigung erteilt haben, und ohne dass Sie mit dem Fremdanbieter einen Vertrag abgeschlossen haben. Diese Konstellation ist eher selten.

Rechtsgrundlage für die Rückbuchung ist Punkt 2.5 der "Sonderbedingungen für den Lastschriftverkehr": *"Der Kunde kann bei einer autorisierten Zahlung aufgrund einer SEPA-Basis-Lastschrift binnen einer Frist von acht Wochen ab dem Zeitpunkt der Belastungsbuchung auf seinem Konto von der Bank ohne Angabe von Gründen die Erstattung des belasteten Lastschriftbetrages verlangen."*

Verweigert der Bankmitarbeiter die Rückbuchung (was aufgrund von Unkenntnis leider manchmal vorkommt), so weisen Sie ihn auf diese Regelung hin oder legen einen Ausdruck derselben vor. Geben Sie in eine Internet-Suchmaschine den Begriff "Sonderbedingungen für den Lastschriftverkehr" ein, in aller Regel finden Sie sofort ein PDF mit den einzelnen Bestimmungen.

Manchmal kommt es vor, dass ein Bankmitarbeiter aus Unwissenheit die Rückbuchung verweigert. Ich weiß, es klingt seltsam, aber ich habe es bereits selbst erfahren, dass einzelne Bankmitarbeiter tatsächlich davon ausgehen, dass Rückbuchungen nicht möglich seien oder nur innerhalb einer wesentlich kürzeren Frist vorgenommen werden können. Sollte Ihnen das passieren, so nutzen Sie den folgenden Musterbrief, um sich mit einem Rückbuchungswunsch direkt an Ihre Bank zu wenden:

An
(Name der Bank)
(Straße, Hausnummer)
(Postleitzahl, Stadt)

Als PDF per E-Mail an: (E-Mail-Adresse der Bank)
Per Fax an: (Faxnummer der Bank)
Per Einschreiben mit Rückschein

Kontonummer: (Ihre Kontonummer)
Bitte um Rückbuchung einer Lastschrift

Sehr geehrte Damen und Herren,
am (Datum) wurde von (Name Mobilfunkanbieter) ein Betrag in Höhe von (Betrag) von meinem Konto abgebucht. Da es sich hierbei um eine unberechtigte Abbuchung handelt, möchte ich von meinem Recht auf Rückbuchung innerhalb von acht Wochen ab Kontobelastung Gebrauch machen.

Leider wurde mir dies bislang aus nicht nachvollziehbaren Gründen verweigert. Rein vorsorglich verweise ich Sie hierzu auf Punkt 2.5 der "Sonderbedingungen für den Lastschriftverkehr": "Der Kunde kann bei einer autorisierten Zahlung aufgrund einer SEPA-Basis-Lastschrift binnen einer Frist von acht Wochen ab dem Zeitpunkt der Belastungsbuchung auf seinem Konto von der Bank ohne Angabe von Gründen die Erstattung des belasteten Lastschriftbetrages verlangen."

Mit freundlichen Grüßen
(Ihr Name und Unterschrift)
(Ort, Datum)

11.7 Wie versende ich einen Forderungswiderspruch korrekt?

Das entscheidende an Ihrem Widerspruch muss sein, dass dieser die Gegenseite tatsächlich erreicht, und Sie diesen Zugang später nachweisen können. Hierzu gibt es mehrere Möglichkeiten:

Normaler Brief: Vom Versand Ihres Widerspruchs per einfacher Post rate ich ab. Normale Briefe, die nicht per Einschreiben verschickt sind, werden von manchen Unternehmen einfach ignoriert. Der Versender hat später keine Möglichkeit, den Zugang des Briefs beim Empfänger nachzuweisen.

Einschreiben: Bei einem Einschreiben übergibt der Postbote den Brief direkt an den angeschriebenen Empfänger bzw. an einen Mitarbeiter des Unternehmens. Diese Person muss dem Briefträger per Unterschrift bestätigen, dass sie das Schreiben erhalten hat. Erst nach Erhalt der Unterschrift darf der Postbote den Brief übergeben. Der Nachteil bei einem Einschreiben ist der, dass man selbst keine Rückbestätigung direkt vom Empfänger erhält, die den Zugang bestätigt. Die angeschriebene Firma könnte daher behaupten, dass sie nie einen Brief von Ihnen erhalten hat, da der Postbote möglicherweise den Brief an eine andere Person oder bei einem anderen Unternehmen abgab. Dieses Argument ist unrealistisch, da der Briefträger sein Einzugsgebiet kennen sollte. Vor allem Unternehmen, die regelmäßig Post erhalten, wird der Postbote nicht verwechseln. Dennoch bleibt eine Restunsicherheit.

Einschreiben mit Rückschein: Eine der sichersten Methoden ist die, einen schriftlichen Forderungswiderspruch per Einschreiben mit Rückschein zu versenden. Hierbei erhält das Unternehmen neben Ihrem Brief eine kleine rosa Postkarte, die es unterschreiben muss. Die Post vermerkt auf dieser Rückscheins-Postkarte das Datum, an dem der Brief das Unternehmen erreicht hat. Anschließend geht die Postkarte mit Datumsvermerk und Unterschrift an Sie zurück.

Damit erhalten Sie einen Nachweis, der besagt, dass Ihr Widerspruch tatsächlich bei der Gegenseite angekommen ist. Diesen Rückschein heften Sie an die Kopie Ihres Widerspruchsschreibens, so dass dieser nicht verloren geht und dem konkreten Schreiben zugeordnet werden kann. Sollte später der Gegner verneinen, jemals einen Forderungswiderspruch erhalten zu haben, so können Sie ihm eine Kopie des Rückscheins zusenden, und damit Ihren Widerspruchsversand nachweisen.

Eine Restunsicherheit in Bezug auf den Versand per Einschreiben-Rückschein bleibt: Die Gegenseite könnte behaupten, dass in dem erhaltenen Briefkuvert überhaupt kein Brief oder ein gänzlich anderer Brief war. Sie können per Einschreiben lediglich beweisen, dass Sie irgend einen Brief an den Gegner geschickt haben, nicht aber dessen Inhalt.

Um dieses Problem zu umgehen, können Sie einen Zeugen hinzuziehen, während Sie Ihr Widerspruchsschreiben in das Briefkuvert stecken. Der Zeuge kann später bestätigen, dass Sie tatsächlich den Rechnungswiderspruch abgeschickt haben, und nicht ein leeres Kuvert oder einen anderen Brief. Haben Sie keine andere Person in der Nähe, die den Versand des Einschreibens bezeugen kann, so könnten Sie zumindest ein Foto oder Video mit Ihrer Digitalkamera oder der Handykamera machen, das das Widerspruchsschreiben neben dem bereits adressierten Briefkuvert zeigt. Damit wird deutlich gemacht, dass Sie mit großer Wahrscheinlichkeit tatsächlich den auf dem Foto sichtbaren Brief anschließend in das Kuvert gesteckt haben.

Einwurf-Einschreiben: Besitzt die Gegenseite keine reale Adresse, sondern nur ein Postfach, so bietet sich das Einwurf-Einschreiben an. Hierbei legt der Postbote Ihren Brief in das Postfach und bestätigt dies mit seiner Unterschrift. Sie erhalten damit den Nachweis, dass Ihr Schreiben tatsächlich in den Briefkasten des Empfängers gelangt ist. Der Nachteil daran ist der, dass die Gegenseite behaupten könnte, dass sie nie ein Schreiben erhalten hat, weil der Postboten den Brief möglicherweise in einen falschen Briefkasten oder ein falsches Postfach gelegt hat. Meines Erachtens ist das jedoch ein unrealistisches Argument, da der Postbote im Regelfall seinen Zustellbezirk und die Briefkästen bzw. Postfächer gut kennt. Gerade ein Unternehmen erhält regelmäßig Post, so dass der Briefträger weiß, was er tut. Unabhängig davon haben Sie keine andere Wahl, wenn die Firma lediglich eine Postfachadresse hat. Sie können nicht einmal ein normales Einschreiben verwenden, da keine Person da ist, die den Erhalt des Einschreibens per Unterschrift quittiert. Für einen ordnungsgemäßen Zugangsnachweis müssen Sie daher das Einwurf-Einschreiben verwenden.

Fax mit Sendeberichtsbestätigung: Versenden Sie einen Forderungswiderspruch per Fax, so stellt Ihnen das Faxgerät nach erfolgreichem Versand eine Sendeberichtsbestätigung aus. Diese zeigt an, dass Sie das Fax erfolgreich verschickt haben, das Datum, die Uhrzeit und die Empfängerrufnummer. Diesen Sendebericht heben Sie bitte gut auf und heften ihn an die Kopie Ihres Widerspruchsschreibens.

Der Nachteil an einem Faxversand ist der, dass Sie nicht wissen können, ob das Fax tatsächlich bei der Gegenseite angekommen ist. Hatte das Faxgerät des Empfängers beispielsweise einen Papierstau oder eine sonstige Fehlfunktion, so erhalten Sie zwar das „ok" auf Ihrem Sendebericht, das Fax ist in Wirklichkeit aber unlesbar beim Unternehmen eingegangen. Daher bietet der Faxversand eine hohe Wahrscheinlichkeit, dass die andere Seite Ihren Rechnungswiderspruch erhalten hat, aber keinen letztendlichen Beweis. Vorbeugend könnten Sie Ihr Schreiben zweimalig per Fax im Abstand von 30 Minuten versenden, oder sogar im Abstand von einem Tag. Damit liegen Ihnen zwei Sendeberichtsbestätigungen vor, und es wäre unrealistisch, dass das Faxgerät der Gegenseite an beiden Tagen eine Fehlfunktion hatte.

Versand als PDF im E-Mail-Anhang: Ihr Widerspruch kann von Ihnen inkl. Unterschrift als PDF eingescannt und dann als E-Mail-Anhang an die Gegenseite geschickt werden. Ein E-Mail-Versand ist mit dem normalen Postversand vergleichbar, da er keinen Nachweis des Zugangs bietet. Es besteht immer die Gefahr, dass die E-Mail aufgrund von technischen Problemen nicht oder sehr spät ihr Ziel erreicht, außerdem kann diese im Spam-Filter des Unternehmens landen. Allerdings spricht eine hohe Wahrscheinlichkeit dafür, dass Ihre E-Mail mit dem Forderungswiderspruch das Ziel erreicht.

Um später belegen zu können, dass Sie die Mail tatsächlich verschickt haben, und diese das Ziel erreicht hat, empfehle ich Ihnen die folgenden Maßnahmen: Setzen Sie in Kopie, also in „CC", einen Freund/Bekannten als weiteren Empfänger, und sich selbst, wenn Sie eine zweite E-Mail-Adresse führen. Diese Nachweise durch Zeugenaussage und E-Mail-Empfangs-Ausdruck können später helfen, den Zugang des Rechnungswiderspruchs zu belegen.

Nutzen Sie für Ihre E-Mail eine Betreffzeile, die nur wenige unproblematische normale Wörter enthält, damit die Mail nicht im Spam-Filter landet. Beispielsweise können Sie als Betreff „Widerspruch", „Widerspruch Forderung" oder „Widerspruch Mahnung" verwenden.

Schließlich sollten Sie die E-Mail mehrmals versenden, beispielsweise dreimalig im Abstand von jeweils zehn Minuten und unterschiedlichen Betreffzeilen. Damit liegt die Wahrscheinlichkeit, dass Ihr Rechnungswiderspruch den Empfänger erreicht, sehr hoch.

Persönliche Übergabe: Die effektivste Möglichkeit, einen Forderungswiderspruch zuzustellen, ist die persönliche Übergabe. Befindet sich in Ihrer Stadt zufällig der Firmensitz oder zumindest eine Filiale des Unternehmens, so können Sie den Widerspruch direkt dort abgeben. Fertigen Sie hierzu eine Kopie von Ihrem Schreiben an. Das Original geben Sie ab und lassen sich auf Ihrer Kopie mit Unterschrift, Datum, Stempel und dem Vermerk „Schreiben erhalten" die Übergabe bestätigen.

Damit steht nachweislich fest, dass Sie den Forderungswiderspruch tatsächlich abgegeben haben. Wenn Sie zu der Übergabe noch einen Zeugen mitnehmen, so erhalten Sie eine weitere Nachweismöglichkeit für den Zugang. Bei einer persönlichen Übergabe könnte alleine das Argument, dass Unterschrift und Stempel gefälscht wurden, entgegen gehalten werden. Dieser Einwand kommt zwar selten vor, ein Zeuge kann dann jedoch bestätigen, dass der Brief wirklich abgegeben wurde.

Welche Versandmethode ist die beste?

Meine Empfehlung lautet, eine Kombination von verschiedenen Versandmethoden anzuwenden. Damit gehen Sie den sichersten Weg. Wenn Sie den Forderungswiderspruch auf zwei oder sogar drei Wegen gleichzeitig verschicken, kann später kaum jemand behaupten, den Brief nie erhalten zu haben.

Machen Sie es daher so: Scannen Sie Ihr Schreiben ein und versenden dieses als PDF im E-Mail-Anhang an die Gegenseite. Anschließend verschicken Sie den Brief als Fax, und schließlich per Einschreiben mit Rückschein. Viele Ladengeschäfte oder Internetcafes bieten den Faxversand für 50 Cent oder einen Euro an, sollten Sie nicht selbst über ein Faxgerät verfügen. Inzwischen gibt es auch online die Möglichkeit, Faxe über das Internet kostenlos oder für wenige Cent zu versenden.

Erhalten Sie bereits im Anschluss an den E-Mail-Versand eine E-Mail-Eingangsbestätigung, so würde diese schon ausreichen, um den Zugang Ihres Schreibens nachzuweisen. Aus Gründen der Sicherheit können Sie aber dennoch ein Fax folgen lassen. Ein Einschreiben ist dann nicht mehr notwendig, da Sie sowohl die Eingangsbestätigung der E-Mail haben, als auch die Sendeberichtsbestätigung vom Fax.

Erteilt die Gegenseite keine Eingangsbestätigung für Ihre E-Mail, so müssen Sie als zweiten Schritt den Faxversand wählen, und auf den Erhalt des Sendeberichts achten. Gibt die Gegenseite keine Faxnummer an, so bleibt Ihnen nur noch das Einschreiben mit Rückschein. Ist nur eine Postfachadresse vorhanden, so verwenden Sie das Einwurf-Einschreiben.

Ist der erste Widerspruch auf diese Weise verschickt, und besitzen Sie eine Bestätigung über den Zugang (E-Mail-Eingangsbestätigung, Fax-Sendebericht oder Einschreiben), so haben Sie das wichtigste getan. Für weitere Schreiben reicht dann sogar eine E-Mail aus. Sie müssen nicht jedes einzelne Schreiben zweifach oder dreifach versenden, es kommt immer nur darauf an, dass Sie den ersten Widerspruch derartig auf den Weg bringen. Damit ist der Widerspruch zweifelsfrei nachweisbar, und ein einziger Widerspruch reicht aus, um eine Forderung rechtssicher zu bestreiten.

Warum ist ein Widerspruch so wichtig?

Durch den Widerspruch geben Sie bekannt, dass die Forderung unberechtigt ist und Sie diese nicht bezahlen werden. Verweigern Sie die Zahlung, ohne einen schriftlichen Widerspruch einzulegen, kann das Unternehmen nicht erkennen, warum Sie nicht bezahlen.

Zudem sorgt der Widerspruch dafür, dass es sich um eine „bestrittene Rechnung" handelt. Bestrittene Forderungen werden normalerweise nicht an einen Inkassodienstleister weitergegeben, da viele

Inkassounternehmen laut ihren eigenen Geschäftsbedingungen nur unbestrittene Forderungen annehmen dürfen. Leider beobachte ich es immer wieder, dass sich einige Unternehmen und Inkassobüros nicht an diesen Grundsatz halten und selbst für bestrittene Rechnungen Inkassomahnungen versenden. Haben Sie gegen eine Forderung Widerspruch eingelegt, und findet dennoch die Abgabe an ein Inkassounternehmen statt, so können Sie alleine daran schon erkennen, dass Sie es mit einer unseriösen Gegenseite zu tun haben.

Wichtig ist außerdem, dass eine bestrittene Forderung nicht an die Schufa oder an andere Auskunfteien gemeldet werden darf. Können Sie den schriftlichen Widerspruch später beweisen, so löscht die Schufa eine bereits eingetragene Forderung wieder.

Warum reicht ein mündlicher Widerspruch nicht aus?

Der Nachteil an mündlichen bzw. telefonischen Widersprüchen ist der, dass Sie keinen Beweis darüber haben. In vielen Fällen müssen Sie zu einem späteren Zeitpunkt nachweisen, dass Sie der Rechnung widersprochen haben. Wurde Ihr Widerspruch lediglich telefonisch oder im Rahmen eines Gesprächs eingelegt, so müssten Sie Ihre Unterredung oder das Telefonat mit Hilfe eines Zeugen beweisen, der evtl. bei dem Gespräch anwesend war. Oft hat man keinen Zeugen, und Telefonate, die durch einen Zeugen bestätigt werden, werden von Gerichten nicht immer als Beweis anerkannt. Ein Nachweis des mündlichen Widerspruchs gegen die Rechnung kann daher schwierig sein.

Besonders Anrufe bei der telefonischen Hotline eines Unternehmens stellen keinen wirksamen Widerspruch dar. Zwar erhält der Kunde zu Beginn des Gesprächs den Hinweis, dass das Telefonat aufgezeichnet wird, diese Aufzeichnung liegt später aber nur der Firma vor, nicht dem Kunden. Damit kann der Kunde die Telefonaufzeichnung nicht für sich als Beweis des Widerspruchs verwenden.

Außerdem sind die Ansprechpartner am anderen Ende der Hotline meist lediglich Mitarbeiter eines Call-Centers. Das heißt, der Kunde gelangt mit seinem Anruf nicht in das Unternehmen direkt hinein, zu einem evtl. für sein Anliegen zuständigen Mitarbeiter, sondern nur zu einem Call-Center-Angestellten. Diese teilen dem Kunden mit, dass die Rechnungsreklamation registriert sei, geben dem Anrufer hierzu aber keinen schriftlichen Nachweis. So hat der Kunde der unberechtigten Forderung widersprochen, kann den Widerspruch aber nicht beweisen.

Kommt es später zu einem Rechtsstreit, wird der Call-Center-Mitarbeiter eher zugunsten seines Auftraggebers aussagen, nicht zugunsten des Kunden. Das bedeutet, dass im Zweifel der Hotline-Mitarbeiter sagen wird, dass kein Widerspruch gegen die Rechnung oder Mahnung eingegangen sei. Ich habe dieses Verhalten in meiner Tätigkeit als Rechtsanwalt leider bereits oft erlebt, so dass ich von lediglich telefonischen Einwendungen dringend abrate.

11.8 Wie lange soll ich meine Unterlagen aufbewahren?

Sind Sie gegen die fehlerhafte Rechnung Ihres Mobilfunkanbieters vorgegangen, so haben sich aus dieser Angelegenheit zahlreiche Schriftstücke ergeben. Unabhängig vom Ausgang des Rechtsstreits mit Ihrem Mobilfunkprovider oder dem Drittanbieter möchte ich Sie bitten, sämtliche Unterlagen nach Datum sortiert in einem extra Ordner abzuheften und dort fünf Jahre aufzubewahren.

Das klingt nach einem langen Zeitraum, hängt aber unmittelbar mit den gesetzlichen Verjährungsvorschriften des BGB zusammen. Die allgemeine Verjährungsfrist beträgt drei Jahre und beginnt mit dem 01. Januar des auf die Entstehung der Forderung folgenden Jahres. Datiert Ihre Mobilfunkrechnung beispielsweise auf den 15.10.2014, so beginnt die Verjährung am 01.01.2015 und endet am 31.12.2017. Durch weitere Maßnahmen, wie z.B. der Erlass eines gerichtlichen Mahnbescheids, kann die Verjährungsfrist weiter gehemmt werden.

Datiert die fehlerhafte Handyrechnung nun auf den Januar eines Jahres, so vergeht knapp ein ganzes Jahr, bis die Verjährung überhaupt anläuft. Anschließend vergehen drei weitere Jahre, in der die Verjährungsfrist regulär abläuft, so dass der Zeitraum schon beinahe vier Jahre beträgt. Liegen weitere verjährungshemmende Ereignisse vor, können selbst diese vier Jahre überschritten werden. Aus diesem Grund empfehle ich, um ganz sicher zu gehen, eine Aufbewahrungsdauer von fünf Jahren.

11.9 Warum kommt es in diesen Fällen zu keinem Schufa-Eintrag?

Die Schufa ist ein privates Unternehmen das die ihr zur Verfügung gestellten Daten von Privatpersonen sammelt und anderen Unternehmen zur Verfügung stellt. Sie erhält dabei nur von denjenigen Unternehmen Daten, die zuvor einen Vertrag mit der Schufa geschlossen haben. Nicht jedes Unternehmen in Deutschland arbeitet automatisch mit der Schufa zusammen, und die Schufa erhält nicht von jedem Unternehmen automatisch Auskunft über alle Daten der Kunden.

So manch ein dubioses Unternehmen, das seinem Kunden vorschnell mit einem Schufa-Eintrag droht, hat in Wahrheit gar keinen Vertrag mit der Schufa abgeschlossen und kann keinen Eintrag in das Schufa-Verzeichnis veranlassen. Die Unternehmen, die Daten von der Schufa erhalten, müssen das zuvor per Vertrag mit der Schufa geregelt haben.

Sinn und Zweck des ganzen ist der, dass mit Hilfe der Schufa jedes Unternehmen eine gewisse Sicherheit in der vertraglichen Zusammenarbeit mit dem Kunden erhält. Zu bedenken ist, dass ein neuer Kunde für ein Unternehmen zunächst einmal ein unbeschriebenes Blatt ist. Es kennt ihn nicht und es kennt seine Vorgeschichte nicht, vor allem weiß es wenig über seine Zahlungsmoral. Soll es diesem Unbekannten also Geld leihen, ein Konto eröffnen, einen Flachbildfernseher finanzieren oder ihm einen Handyvertrag zur Verfügung stellen?

Da dies ein gewisses Wagnis ist, freut sich jedes Unternehmen, wenn jemand anderes ihm diesen neuen unbekannten Kunden ein wenig näher beschreibt. Genau das ist die Aufgabe der Schufa. Sie versorgt die Unternehmen in Deutschland mit Informationen über unbekannte Kunden und erleichtert somit das Zustandekommen von Verträgen. Ähnlich verhält es sich mit den anderen großen Auskunfteien in Deutschland.

Die Schufa selbst sammelt keine Daten, sie speichert nur diejenigen Daten ab, die ihr von den Unternehmen, die Vertragspartner der Schufa sind, zur Verfügung gestellt werden. Selbst wird die Schufa nicht aktiv.

Aufgrund der an die Schufa übermittelten Daten werden im jeweiligen Datenbestand einer Person positive oder negative Einträge veranlasst. Positive Schufa-Einträge sind alle Ihre persönlichen und finanziellen Rahmendaten, also Ihr Name, Ihre Anschrift, Ihre Bankkonten, Ihre Leasingverträge, Ihre Handyverträge etc. Grob gesagt, alle Daten die für die Schufa relevant erscheinen, bei denen aber bislang keine Probleme aufgetreten sind. Die negativen Schufa-Einträge sind die Daten, bei denen es Probleme mit Ihrem Zahlungsverhalten gab. Immer dann, wenn Sie einer Zahlungsverpflichtung unregelmäßig oder gar nicht nachkommen, kann ein negativer Schufa-Eintrag entstehen.

Zu einem negativen Schufa-Eintrag kommt es in der Regel dann, wenn Sie Ihren vertraglich festgelegten Zahlungsverpflichtungen nicht nachkommen, und es sich um eine unbestrittene Forderung handelt. Allerdings darf in so einem Fall nicht sofort ein Schufa-Eintrag erfolgen. Zunächst müssen Sie zwei Mahnungen erhalten, und zwischen der ersten Mahnung und dem Schufa-Eintrag müssen mindestens vier Wochen liegen. Wichtig ist zu wissen, dass die beiden Mahnungen sehr konkret formuliert sein sollten, sowie auf den drohenden Schufa-Eintrag hinweisen und eine Fristsetzung enthalten müssen.

Da auch eine unberechtigte Forderung in das Schufa-Verzeichnis eingetragen werden kann, wenn dagegen kein Widerspruch eingelegt wurde, sollten Sie eine ungerechtfertigte Forderung auf jeden Fall bestreiten, das heißt, schriftlich per Einschreiben mit Rückschein oder per Fax mit Sendeberichtsbestätigung einen Widerspruch einlegen.

Ansonsten darf die Eintragung eines negativen Schufa-Eintrags dann erfolgen, wenn die offene Rechnung rechtskräftig festgestellt ist. Das heißt, wenn entweder ein gerichtliches Urteil über die Forderung ausgesprochen wurde, die Rechtsmittelfrist abgelaufen ist (die Rechtsmittelfrist ist der Zeitraum, in dem gegen das Urteil ein Rechtsmittel eingelegt werden darf, also Berufung oder Revision), und dennoch die Forderung vom Beklagten nicht bezahlt wird. Oder wenn ein gerichtlicher Mahnbescheid und ein gerichtlicher Vollstreckungsbescheid ergingen, und weder Widerspruch noch Einspruch dagegen eingelegt wurden.

Wenn Sie den Angaben in meinem Ratgeber folgen, droht Ihnen kein Schufa-Negativeintrag. Mit Hilfe der Musterbriefe widersprechen Sie von Anfang an den unberechtigten Forderungen Ihres Mobilfunkanbieters und des Drittanbieters. Widersprochene Forderungen sind nicht in die Schufa eintragbar. Zudem versenden Sie Ihre Widerspruchsschreiben per Fax bzw. per Einschreiben mit Rückschein. Das bedeutet, dass Sie den jeweiligen Widerspruch konkret nachweisen können.

In seltenen Fällen kommt es leider doch zu einem Schufa-Eintrag, obwohl die Forderung bestritten wurde. Bitte machen Sie sich in einem solchen Fall keine Sorgen, der Eintrag kann schnell wieder gelöscht werden. Hierzu müssen Sie der Schufa lediglich nachweisen, dass Sie der eingetragenen Forderung widersprochen haben.

Schicken Sie hierzu Ihre bereits ergangenen Widerspruchsschreiben in Kopie an die Schufa und legen den Rückschein des Einschreibens oder den Fax-Sendebericht in Kopie anbei. Fügen Sie evtl. ergangene Antwortschreiben in Kopie hinzu, und drucken Sie die von Ihnen verschickten Widerspruchs-E-Mails aus.

Anhand des von Ihnen vorgelegten Schriftverkehrs kann die Schufa erkennen, dass es sich um eine unberechtigte Forderung handelt, der Sie von Anfang an widersprochen haben. Die Schufa nimmt dann umgehend eine Löschung des Negativeintrags vor.

Ich habe derartige versehentliche Einträge im Laufe meiner Kanzleitätigkeit immer wieder einmal erlebt, und kann dementsprechend bestätigen, dass die Löschung nach Hinweis auf den Widerspruch tatsächlich schnell erfolgt.

Sollte es bei Ihnen zu einem unberechtigten Eintrag gekommen sein, so nutzen Sie den folgenden Musterbrief, um diesen wieder löschen zu lassen:

Absender:
(Vorname, Name)
(Straße, Hausnummer)
(Postleitzahl, Stadt)

An die
Schufa Holding AG
Kormoranweg 5
65201 Wiesbaden

Per Einschreiben mit Rückschein
Vorab per Fax an: 0611 - 92 78 109
Vorab als PDF per E-Mail an: meineschufa@schufa.de und an dokumente@schufa.de

Schufa-Kundennummer: (Ihre Schufa-Kundennummer)
Bitte um Löschung Negativeintrag

Sehr geehrte Damen und Herren,

Laut der aktuellen Schufa-Auskunft wird ein Eintrag bei Ihnen geführt, der unberechtigt und damit rechtswidrig ist:

Eintrag von: (Name des eintragenden Unternehmens)
Kontonummer: (Kontonummer des Schufa-Eintrags)
Gemeldeter Forderungsbetrag: (Eingetragener Betrag)
Datum des Ereignisses: (Datum des Eintrags)

*Hierbei handelt es sich um eine unberechtigte Forderung, gegen die ich bereits Widerspruch einge-
legt habe. Ich füge Ihnen mein Widerspruchsschreiben vom (Datum) anbei, als auch den gesamten
weiteren Schriftverkehr. Ich bitte Sie, zeitnah eine Löschung vorzunehmen. Haben Sie für Ihre Bemühungen vielen Dank.*

Mit freundlichen Grüßen
(Ihre Unterschrift)
(Ort, Datum)

11.10 Was gilt, wenn die Kosten eines Angebots nicht klar benannt sind?

Es stellt sich die Frage, ob überhaupt ein wirksamer Vertrag abgeschlossen wird, wenn der Drittanbieter die Kosten des Angebots nicht oder nur undeutlich benannt hat. Die Antwort ist ein klares
„nein", ein Vertrag kann nach deutschem Recht nicht zustande kommen, wenn der Drittanbieter seine Kosten nicht oder nur undeutlich benennt.

Unser Gesetz verlangt für einen Vertragsschluss die Einigung zwischen beiden Parteien, die einen
Vertrag schließen wollen. Man muss sich sowohl über den Vertragsinhalt, als auch über den Vertragspreis einig sein. Nur wenn in diesen beiden Punkten Übereinstimmung vorliegt, und damit
übereinstimmende Willenserklärungen abgegeben werden, kann ein Vertrag geschlossen werden. Ist
das nicht der Fall, so redet man aneinander vorbei und kann sich nicht auf einen gemeinsamen Vertragsinhalt einigen.

Genau darauf spekulieren viele Fremdanbieter-Unternehmen: Der Kunde stößt auf einen interessan-
ten Button im Internet oder in einer Handy-App und glaubt, ein kostenloses Angebot vor sich zu sehen. Er betätigt das entsprechende Symbol bzw. den Button/Banner durch einen Klick, um ein nach
seinem Verständnis kostenloses Angebot wahrzunehmen. Der Drittanbieter aber fordert einen bestimmten Betrag. Nach dessen Ansicht soll kein kostenloser Vertrag zustande kommen, sondern ein
kostenpflichtiger Vertrag. Damit gehen beide Parteien von einem unterschiedlichen Vertragspreis
aus, ein wirksamer Vertrag kann nicht geschlossen werden.

Ähnliches geschieht, wenn der Drittanbieter ein Angebot als einmalige Leistung kennzeichnet, dann
aber im Kleingedruckten den Hinweis auf ein Abo gibt. Die Kosten fallen nicht einmal an, sondern wöchentlich. Typisches Beispiel ist die Werbung im Fernsehen für Klingeltöne. In manchen
Fällen erweckt die Werbung den Eindruck, dass durch Senden einer SMS an eine bestimmte Kurzwahlnummer der Kauf eines Klingeltons für beispielsweise 4,99 EUR getätigt werden könnte. Tatsächlich erwirbt der Kunde ein Abo, welches ihm jede Woche einen Klingelton schickt, unter

erneuter Abrechnung der Kosten. Der Hinweis auf das Abonnement befand sich dabei im kaum lesbaren Kleingedruckten in der unteren Hälfte des Bildschirms. In einem solchen Fall geht der Kunde von einem einmaligen Kauf aus, da er das Kleingedruckte nicht lesen kann, es ist einfach zu klein und wird nur für wenige Sekunden angezeigt. Der Drittanbieter geht aufgrund der Hinweise im Kleingedruckten von einem Abo-Vertrag aus. Beide Parteien haben damit unterschiedliche Ansichten hinsichtlich des Vertragsinhalts, ein wirksamer Vertrag kommt nicht zustande.

11.11 Wie funktioniert das Handshake-Verfahren?

Einige Mobilfunkanbieter haben das „Hand-Shake-Verfahren" eingeführt, was den Kunden vor ungewollten Drittanbieter-Rechnungsposten schützen soll. Es funktioniert wie folgt: Bestellt der Kunde eine Leistung bei einem Fremdanbieter, so sendet der Mobilfunkanbieter per SMS eine Nachfrage zu seinem Kunden, ob diese Leistung tatsächlich gewünscht ist. Erst wenn der Kunde das bestätigt, wird die Leistung freigeschaltet und abgerechnet.

In der Theorie ist das ein sehr gutes Modell, da es Drittanbieter-Leistungen nur auf eine Rückbestätigung des Kunden hin freigibt. Damit könnten ungewollte oder rechtswidrige Drittanbieter-Leistungen verhindert werden.

In der Realität kommt es leider trotz dieses Verfahrens zu unberechtigten Rechnungsposten auf der Mobilfunkrechnung. Ich habe es oft erlebt, dass Mandanten, obwohl ihr Mobilfunkprovider ein solches Verfahren nutzt, plötzlich unbekannte Beträge von Fremdfirmen abgerechnet bekamen. Nach erfolgter Reklamation verweist der Mobilfunkanbieter auf die Sicherheit des Hand-Shake-Verfahrens und schiebt jegliche Schuld von sich. Es bleibt ungelöst, auf welche Weise die Drittanbieter ihren Einzug auf die betroffene Handyrechnung gefunden haben. Entweder wird ein technischer Trick angewandt, um das Hand-Shake-Verfahren zu umgehen, oder der jeweilige Mobilfunkprovider ist nicht in der Lage, das von ihm genutzte Hand-Shake-Verfahren ohne Mängel seinen Kunden zur Verfügung zu stellen.

Sollten Sie gegen eine Handyrechnung Widerspruch eingelegt haben, und Ihr Mobilfunkprovider verweist auf das Hand-Shake-Verfahren, so halten Sie Ihren Widerspruch trotzdem aufrecht. Es erscheint als offensichtlich, dass in einem solchen Fall die technische Vorrichtung des Hand-Shake-Verfahrens versagt hat. Das ist nicht Ihre Schuld als Kunde, hier hat der Provider fehlerhaft gearbeitet. Das darf nicht zu Ihren Lasten gehen, Sie müssen die unberechtigten Rechnungsposten nicht bezahlen.

11.12 Kann ich meine Rufnummer während eines laufenden Vertrags portieren?

Sie haben jederzeit das Recht, Ihre bisherige Handynummer auf einen anderen Vertrag zu übertragen, wenn Sie das wünschen. Schließen Sie einen neuen Mobilfunkvertrag ab, so können Sie umgehend den Wunsch äußern, dass Ihre alte Rufnummer auf den neuen Anbieter übertragen wird. Sie sind dann weiterhin unter der bekannten Rufnummer erreichbar und müssen Ihren Freunden und Bekannten keine neue Telefonnummer mitteilen.

Ihr bisheriger Mobilfunkprovider teilt Ihnen nach erfolgter Portierung auf Wunsch eine neue Handyrufnummer zu. Die Portierung der Nummer vom alten auf den neuen Vertrag darf nicht länger als einen Tag dauern. Rechtsgrundlage ist §46 Absatz 4 des Telekommunikationsgesetzes (TKG).

Der Gesetzgeber wollte mit dieser Regelung den freien Wettbewerb stärken. Niemand sollte einen Anbieterwechsel nur deswegen hinausschieben, weil er auf seine alte Rufnummer angewiesen ist.

Sollte Ihnen Ihr Mobilfunkprovider rechtswidrig die Sperrung oder Kündigung androhen, so können Sie dank dieser Regelung kurzfristig Ihre Rufnummer auf einen neuen Anbieter übertragen. Damit umgehen Sie die Gefahr, dass Ihr alter Anbieter den Vertrag vorzeitig sperrt und Sie die bisherige Rufnummer nicht mehr nutzen können.

11.13 Darf mein Mobilfunkanbieter nach Kündigung Schadensersatz verlangen?

Hat Ihr Mobilfunkanbieter Ihnen die außerordentliche Kündigung aufgrund von Nichtzahlung erklärt, obwohl Sie der Rechnung widersprochen und den berechtigten Teilbetrag überwiesen haben, so handelt es sich um eine rechtswidrige Vertragsbeendigung. Obwohl das schon schlimm genug ist, stellen manche Mobilfunkanbieter Ihrem Kunden auch noch eine Schadensersatzforderung in Rechnung. Hier soll der Kunde den entgangenen Gewinn ersetzen, den der Anbieter nun nicht hat, weil er den Vertrag vorzeitig kündigen musste.

In rechtlicher Hinsicht hat der Mobilfunkanbieter in einer solchen Situation keineswegs Anspruch auf Schadensersatz. Schaden muss nur dann ersetzt werden, wenn ihn der Kunde schuldhaft, also vorsätzlich oder fahrlässig, hervorgerufen hat. Das heißt, der Kunde müsste absichtlich oder versehentlich dafür gesorgt haben, dass dem Mobilfunkanbieter ein Schaden entstanden ist.

Das ist nicht der Fall, da der Mobilfunkanbieter von selbst die Kündigung erklärt hat. Der Kunde wollte die Kündigung nicht, diese hat alleine der Anbieter zu vertreten. Das Argument, der Kunde habe nicht bezahlt und somit musste ihm der Vertrag gekündigt werden, ist nicht zutreffend. Denn schließlich hat der Kunde lediglich seine Rechte genutzt und einer fehlerhaften Handyrechnung widersprochen, den Widerspruch gut begründet und die berechtigten Teilbeträge überwiesen.

Der Mobilfunkanbieter hätte in einer solchen Situation den Vertrag weiterlaufen lassen und die bestrittenen Rechnungsposten an den Drittanbieter zurückgeben müssen. Eine Kündigung zu erklären ist der falsche und kundenfeindliche Weg. Dementsprechend muss der betroffene Kunde keinesfalls Schadensersatz für die Restlaufzeit des Vertrags zahlen.

11.14 Der Drittanbieter meint, er sei nur „Zahlungsdienstleister"

In etlichen Fällen handelt es sich bei dem Drittanbieter auf Ihrer Rechnung nicht um das Unternehmen, welches seine Leistungen über Ihre Handyrechnung abgerechnet hat, sondern nur um einen „Zahlungsdienstleister". Das erfahren Sie dann, wenn Sie den Drittanbieter angeschrieben und gegen dessen Forderungen Widerspruch eingelegt haben.

Möglicherweise erhalten Sie dann eine Mitteilung, die auf das eigentliche Unternehmen verweist, der Zahlungsdienstleister selbst hält sich heraus und gibt vor, dass er für das Drittanbieter-Unternehmen lediglich den Zahlungsvorgang als Dienstleister abwickle. Womöglich erhalten Sie dann erst den Namen des tatsächlichen Unternehmens, das Ihnen angeblich Leistungen verkauft hat. Dieses sitzt eventuell im weit entfernten Ausland, so dass Sie keine Möglichkeit des weiteren Widerspruchs haben, geschweige denn den Rechtsstreit aufklären können.

Eine solche Weiterreichung an noch ein anderes Unternehmen müssen Sie nicht hinnehmen. Für Sie ist nur dasjenige relevant, welches namentlich auf Ihrer Handyrechnung genannt ist und dort Rechnungsposten geltend macht.

Es darf nicht sein, dass Sie an immer andere Firmen weitergereicht werden. Legen Sie Widerspruch bei dem Ihnen benannten Unternehmen ein, mehr müssen Sie in rechtlicher Hinsicht nicht tun. Ob es sich dabei lediglich um einen Zahlungsdienstleister handelt, soll Sie nicht interessieren, denn das betrifft nur das Innenverhältnis zwischen Drittanbieter und Zahlungsdienstleister. Empfängt der

Zahlungsdienstleister Ihren Widerspruch, so ist dieser verpflichtet, diesen an den tatsächlichen Drittanbieter weiter zu leiten, er darf Sie nicht direkt an diesen verweisen.

Nutzen Sie den folgenden Musterbrief, falls der von Ihnen kontaktierte Drittanbieter meint, er sei nur Zahlungsdienstleister und damit nicht für Ihr Anliegen zuständig:

Absender:
(Vorname, Name)
(Straße, Hausnummer)
(Postleitzahl, Stadt)

An
(Name des Zahlungsdienstleisters)
(Straße, Hausnummer)
(Postleitzahl, Stadt)

Per Fax an: (Faxnummer des Zahlungsdienstleisters)
Als PDF per E-Mail an: (E-Mail-Adresse des Zahlungsdienstleisters)

Meine Mobilfunknummer: (Ihre Mobilfunknummer)
Ihr Schreiben vom (Datum)
Ihr Aktenzeichen: (Aktenzeichen des Zahlungsdienstleisters)
Aufrechterhaltung des Widerspruchs
Erneute Bitte um Rückerstattung

Sehr geehrte Damen und Herren,

haben Sie vielen Dank für Ihr Schreiben vom (Datum). Sie teilen mir darin mit, dass Sie nicht für diese Angelegenheit zuständig sind, da Sie lediglich die Funktion eines Zahlungsdienstleisters wahrnehmen. Anschließend geben Sie mir eine weitere Adresse, an die ich mich wenden soll.

Ich muss Sie darauf aufmerksam machen, dass Ihr Unternehmen die unberechtigte Abbuchung über meine Mobilfunkrechnung vorgenommen hat. Damit sind Sie für diese rechtswidrige Handlung verantwortlich. Ich bin demnach nicht dazu verpflichtet, mich an einen weiteren mir unbekannten Anbieter zu wenden. Wenn Sie mit der von Ihnen bezeichneten Firma ein vertragliches Verhältnis eingegangen sind, auf dessen Basis nun Abrechnungen über meine Mobilfunkrechnung vorgenommen werden, so sind Sie dazu verpflichtet, dagegen ergangene Widersprüche intern an diese weiterzuleiten. Für mich als betroffenen Kunden ergibt sich keinerlei Obliegenheit, mit einem weiteren Unternehmen in Kontakt zu treten.

Ich halte daher den bereits geäußerten Widerspruch konsequent aufrecht und fordere Sie zur Rückzahlung auf. Geschieht das nicht, so werde ich weitere strafrechtliche und zivilrechtliche Schritte einleiten.

Mit freundlichen Grüßen
(Ihre Unterschrift)
(Ort, Datum)

Es reicht aus, wenn Sie dieses Schreiben per Fax oder E-Mail versenden. Ein Einschreiben ist immer nur beim Erstkontakt mit dem jeweiligen Unternehmen notwendig, um den Zugang des Widerspruchs später beweisen zu können.

11.15 Was ist ein Hosentaschenanruf?

Von einem „Hosentaschenanruf" spricht man, wenn sich die Tastensperre eines Handys in der Hose bzw. der Kleidung/Jacke/Handtasche löst und dadurch einzelne Tasten des Handys gedrückt werden. Mit etwas Pech wird zufällig eine Nummer gewählt, die real existiert und einen kostenpflichtigen Anruf auslöst.

Seitdem Smartphones vermehrt genutzt werden, hat sich dieses Problem eigentlich gelöst. Da ein Smartphone nicht per Tastensperre geschützt wird, sondern im Normalfall über einen kurzen Pin-Code, ist die Wahrscheinlichkeit einer zufälligen Betätigung des Codes in der Kleidung eher gering. Zusätzlich muss auf einem Smartphone zunächst das Tastenfeld für einen Anruf aktiviert und die Nummer per Hand eingegeben werden. Die meisten Displays reagieren überhaupt nicht, wenn sie lediglich mit Kleidungsstoff in Berührung kommen.

Dennoch erhalten immer wieder Kunden überhöhte Rechnungen für angebliche Hosentaschenanrufe. Meist handelt es sich dabei um Rufnummern mit vielen Einsern wie z.B. „111111". Reklamiert der Kunde eine solche Rechnung, so weist der Mobilfunkanbieter lapidar darauf hin, dass es sich dabei um einen Hosentaschenanruf handeln würde und die Kosten hierfür vom Kunden bezahlt werden müssten.

Meiner Ansicht nach ist das nicht der Fall, eine derartige Rechnungsstellung ist nicht berechtigt. Ich habe im Rahmen zahlreicher Mandate beobachtet, dass die angeblich von meinen Mandanten angewählten Rufnummern oft nur solche mit der Ziffer „1" sein sollen. Das erscheint mir als unrealistisch, da die anderen Ziffern statistisch betrachtet genau so häufig per Zufall angewählt werden müssten. Zudem gibt es einzelne Drittanbieter, die sich auf die Abrechnung derartiger Hosentaschenanrufe spezialisiert haben. Diese haben extra für Rufnummernbereiche wie z.B. „111111" eine kostenpflichtige Zielrufnummer eingerichtet. Das erlaubt den Drittanbietern, solche zufälligen Anwahlen mit sehr hohen Gebühren abzurechnen.

Nun stellt sich die Frage, wie automatische Rufnummeranwahlen zustande kommen. Wie bereits geschildert, ist es aufgrund der vermehrten Nutzung von Smartphones eher unwahrscheinlich, dass sich Anrufe von alleine in der Hosentasche tätigen. Meiner Ansicht nach besteht in derartigen Fällen der Verdacht, dass die Anwahl durch einen auf das Handy eingeschleusten Trojaner vorgenommen wird.

Dieser Trojaner stellt ein kurzes Programm dar, welches einzig und alleine darauf programmiert wurde, vom Nutzer unbemerkt bestimmte Rufnummern anzuwählen. In dem Moment erhält der Drittanbieter, der die angewählte kostenpflichtige Servicerufnummer betreibt, eine Gebühr für den über das Mobiltelefon getätigten ungewollten Anruf. Es kann daher sein, dass die Programmierung des Trojaners direkt von dem Drittanbieter beauftragt wurde, der die kostenpflichtige Rufnummer betreibt, und der letztendlich von diesen Anrufen profitiert.

Hinzu kommt der Umstand, dass eine Anwahl dieser Rufnummern oftmals zu überhaupt keinem Ergebnis führt. Teilweise ist eine Anwahl gar nicht möglich. Damit wird der Verdacht bestärkt, dass die Rufnummern ausschließlich dazu dienen, über ungewollte Telefonate Gewinn zu generieren. Das ist zumindest meine Vermutung, die sich aus der Beobachtung zahlreicher Fälle dieser Art ergeben hat.

Unabhängig davon handelt es sich um einen Rechnungsposten, der nicht von Ihnen verursacht wurde, mit einem Drittanbieter, den Sie nicht kennen, und mit dem Sie keinen Vertrag abgeschlossen haben. Sie sollten einen solchen Hosentaschenanruf in jedem Fall reklamieren und der dadurch entstandenen Forderung mit obigen Musterbriefen widersprechen.

Oftmals antwortet der Mobilfunkanbieter im Rahmen einer Reklamation mit den besagten Worten, dass es sich um einen vom Kunden unabsichtlich ausgelösten Hosentaschenanruf handeln würde, dieser aber unbedingt bezahlt werden müsse. Denn schließlich sei der Kunde dafür verantwortlich, dass er sein Handy vor unbeabsichtigten Rufnummeranwahlen schützt. Ist das bei Ihnen der Fall, so können Sie mit dem folgenden Mustertext Ihrem Mobilfunkprovider einige Argumente entgegensetzen:

„Sie teilen mir in Ihrem Schreiben vom (Datum) mit, dass ich durch unbeabsichtigtes Betätigen der Tastatur den von mir bestrittenen Anruf ausgelöst haben soll. Dies erscheint mir als unwahrscheinlich: Mein Handy ist ein modernes Smartphone, welches im ungenutzten Zustand automatisch das Display deaktiviert und eine Sperre aktiviert. Um erneut telefonieren zu können, muss das Display aktiv eingeschaltet und ein Pin-Code eingegeben werden. Anschließend muss der entsprechende Button zum Aufrufen des Tastaturfelds berührt und die gewünschte Rufnummer eingegeben werden. Dass all dies von alleine in meiner Kleidung passiert sein soll, erscheint als sehr unwahrscheinlich.

Zudem muss ich Sie darauf hinweisen, dass die von Ihnen in der Rechnung aufgeführte Zielrufnummer überhaupt nicht aktiv ist. Wähle ich diese Nummer, so wird keine Verbindung hergestellt.

Sie rechnen somit eine Leistung ab, die nicht nutzbar ist, nie von mir genutzt wurde, deren rechnungsstellendes Unternehmen ich nicht kenne und mit dem ich nie einen Vertrag abgeschlossen habe. Ich bitte Sie daher erneut um eine Stornierung dieses Rechnungspostens.

Ich möchte Sie zudem darauf hinweisen, dass hier die Möglichkeit eines strafrechtlich relevanten Betrugs besteht: Möglicherweise wurde auf mein Mobiltelefon ein Trojaner eingeschleust, der bewusst dazu programmiert wurde, um derartige kostenpflichtige Rufnummern anzuwählen. Es besteht weiter die Möglichkeit, dass dieser Trojaner direkt von dem hier abrechnenden Drittanbieter-Unternehmen in Auftrag gegeben wurde. Bitte überprüfen Sie diesbezüglich den Sachverhalt und halten Rücksprache mit Ihrem Vertragspartner.

Die Erstattung einer Strafanzeige behalte ich mir ausdrücklich vor, sollten Sie weiterhin an Ihrer unberechtigten Forderung festhalten. In rechtlicher Hinsicht sind mir die Kosten, die durch einen Trojaner verursacht wurden, nicht zurechenbar. Ich verweise hierzu auf die Regelung des §45 i Absatz 4 TKG.“

11.16 Kinder beauftragen Drittanbieter

Schließt ein minderjähriges Kind einen Vertrag ohne die Einwilligung der Eltern ab, so ist dieser zunächst unwirksam. Erst wenn ein Elternteil oder ein Erziehungsberechtigter die nachträgliche Genehmigung erteilen, gilt der Vertrag als wirksam abgeschlossen.

Dieser Grundsatz gilt auch für Verträge, die online über das Internet oder über das Mobiltelefon abgeschlossen werden. Das heißt, wenn Ihr Kind durch die Verwendung einer App, eines Spiels oder über eine Internetseite einen Vertrag mit einem Drittanbieter abschließt, ist dieser zunächst nicht wirksam. Erst wenn Sie als Eltern dem Drittanbieter die Genehmigung zum Vertragsschluss erteilen, kommt ein Vertrag zustande.

Verweigern Sie dem Drittanbieter die Genehmigung, so fehlt es an einem wirksamen Vertrag. Findet trotzdem eine Abrechnung über Ihre Mobilfunkrechnung statt, so wird dieser Rechnungsposten ohne vertragliche Grundlage gegen Sie geltend gemacht. Das darf natürlich nicht sein.

Ich habe im Rahmen meiner Kanzleitätigkeit bei zahlreichen Mandaten die Feststellung machen müssen, dass Kinder zugegeben haben, das Handy für Spiele o.ä. benutzt zu haben. Dennoch konnte nicht zweifelsfrei ermittelt werden, ob dadurch tatsächlich ein kostenpflichtiger Vertrag abgeschlossen wurde. Ebenso wenig war ein eindeutiger Vertragspartner auszumachen. Das verkaufende Unternehmen tritt oftmals unter einem anderen Namen als das abrechnende Unternehmen auf. Erschien anschließend die Abrechnung eines Drittanbieters auf der Handyrechnung, so konnte nicht mit Sicherheit gesagt werden, ob dieses Fremdunternehmen die vom Kind genutzten Leistungen abrechnet.

Daher rate ich davon ab, konkrete Zugeständnisse zu machen. Eine gewisse Unsicherheit verbleibt immer, da die Drittanbieter ihr Abrechnungsmodell konsequent undurchsichtig halten. Besteht zumindest die Möglichkeit, dass Ihr minderjähriges Kind den Drittanbieterbetrag verursacht hat, so können Sie eine pauschale Verweigerung der Genehmigung aussprechen. Sie machen damit deutlich, dass Sie in jedem Fall einem evtl. Vertragsschluss die Genehmigung verweigern.

Folgende Vorgehensweise bietet sich daher an, wenn Ihre Kinder möglicherweise die fraglichen Drittanbieter-Verträge abgeschlossen haben: Findet sich auf Ihrer Mobilfunkrechnung ein Drittanbieter-Rechnungsposten, so teilen Sie dem Drittanbieter mit, dass es sich eventuell um einen von Ihrem minderjährigen Kind ohne Einwilligung abgeschlossen Vertrag handelt und Sie als Elternteil die nachträgliche Genehmigung verweigern. Dem Mobilfunkanbieter teilen Sie das gleich mit: Sie haben dem Drittanbietervertrag keine Genehmigung erteilt und bitten um Entfernung des Rechnungspostens von Ihrer Handyrechnung. Damit sind Sie rechtlich betrachtet auf der sicheren Seite.

Sind Sie sich dagegen absolut sicher, dass Ihr Kind die Drittanbieterposten verursacht hat, so können Sie das natürlich auch mitteilen. Das Gesetz steht auf Ihrer Seite, ohne Ihre Genehmigung entsteht kein wirksamer Vertrag, eine Zahlungspflicht bleibt aus.

Leider verhält es sich in einem solchen Fall oft so, dass der Mobilfunkanbieter behauptet, das spiele keine Rolle, denn der Handyvertrag läuft auf Ihren Namen, und Sie müssen alle Kosten, die dadurch entstehen, bezahlen. Sie hätten auf Ihre Kinder acht geben müssen und seien nun für den angerichteten Schaden verantwortlich.

Das ist in rechtlicher Hinsicht nicht korrekt. Sobald Sie dem Drittanbieter-Vertrag die Genehmigung verweigert haben, besteht keinerlei vertragliche Grundlage, auf deren Basis Ihr Mobilfunkanbieter Rechnungspositionen auf die Mobilfunkrechnung setzen darf. Tut er das doch, so macht er Forderungen ohne einen zugrundeliegenden Vertrag gegen Sie geltend. Das darf nicht sein. Der Anbieter ist verpflichtet, die Drittanbieter-Positionen von der Handyrechnung zu entfernen.

In den meisten Fällen liegt die folgende Konstellation vor: Das Kind spielt auf seinem Computer oder dem Smartphone ein Spiel, welches es zunächst kostenlos aus dem Internet bzw. dem App-Store herunter laden konnte. Hierbei handelt es sich um sog. „Free2Play-Games", also Spiele, die tatsächlich kostenlos geladen und gespielt werden dürfen. Der Haken an der Sache ist der, dass im Spiel kostenpflichtige Zusatzkäufe möglich sind, sog. „InGame-Käufe". Durch Erwerb von Zusatzoptionen kann Spielwährung erworben werden, die eigene Spielfigur kann schneller laufen oder mehr Kraft erlangen etc. Der einzelne InGame-Kauf kostet nur wenige Euro, kann bei großen Mengen aber sehr hohe Rechnungen hervorrufen.

Für die Bezahlung eines InGame-Kaufs werden mehrere Möglichkeiten angeboten, beispielsweise per PayPal, Kreditkarte, oder eben per Handynummer/Mobilfunkrechnung. Nach erfolgtem Bezahlvorgang wird ein Code zur Verfügung gestellt, mit dessen Eingabe die gewünschten Zusatzfunktionen aktiviert werden können.

Wählt das Kind die Bezahlung per Handy, so erscheint der Rechnungsposten später auf der Monatsrechnung des genutzten Mobilfunkanschlusses. Meist ist das der Anschluss eines Elternteils, so dass der Ärger groß ist.

Der Mobilfunkanbieter behauptet nun, dass die Eltern dies bezahlen müssten, da es ihr Mobilfunkanschluss sei. Alle Verbindungen, die über diesen Anschluss geführt werden, müssten von dessen Inhaber beglichen werden. Es erfolgt oft nur ein Verweis an den jeweiligen Drittanbieter.

Das Unternehmen, welches Ihrem Kind die Spiele-Zusatzleistung verkauft hat, rechnet den Kaufpreis im Regelfall aber nicht direkt ab. Es wird ein „Zahlungsdienstleister" zwischengeschaltet. Das ist eine Firma, die sich darauf spezialisiert hat, offene Drittanbieter-Forderungen über Mobilfunkrechnungen abzurechnen. Das Spiele-Unternehmen gibt seine offene Forderung an den Zahlungsdienstleister weiter, und dieser rechnet die Forderung über Ihre Handyrechnung ab. Der Name, der damit auf Ihrer Rechnung auftaucht, ist nicht das verkaufende Unternehmen, sondern dieser Zahlungsdienstleister.

Nun darf es in rechtlicher Hinsicht nicht darauf ankommen, welche Zahlungsart Ihr Kind ausgewählt hat, damit Ihnen ein Genehmigungsrecht zusteht oder nicht.

Ich möchte das an einem greifbaren Beispiel erklären: Ihr minderjähriges Kind kauft Ware in einem Ladengeschäft, und zahlt in bar. Als das Kind das Geschäft verlässt sehen Sie es und sprechen das Kind auf den Kauf an. Da Sie weder vorab Ihre Einwilligung zum Kauf gegeben haben, noch nachträglich die Genehmigung erteilen möchten, gehen Sie sofort mit Ihrem Kind in das Geschäft zurück und teilen dem Verkäufer mit, dass Sie den Verkauf nicht genehmigen. Der Verkäufer ist dazu verpflichtet, den Kaufpreis zurück zu zahlen, im Gegenzug erhält er die Ware wieder.

Genau so ein Fall liegt vor, wenn Ihr Kind in einem Computerspiel Ware erwirbt. Nur existiert hier eine andere Form der Bezahlung. Es wird nicht in bar bezahlt, sondern über die Handyrechnung. Alleine durch die Änderung der Zahlungsweise kann Ihnen aber nicht das Recht genommen werden, als Eltern einem Kauf die Genehmigung zu verweigern. Sie haben auch bei einem virtuellen Kauf im Computer das Recht auf nachträgliche Verweigerung der Genehmigung, und damit ein Recht auf Rückerstattung des Kaufpreises. Das muss sowohl der Drittanbieter als auch der Mobilfunkanbieter akzeptieren.

Manche Drittanbieter oder Mobilfunkanbieter verweisen gerne auf den Umstand, dass sie von einer „Anscheinsvollmacht" ausgegangen sind. Das würde bedeuten, das Kind habe schließlich das Handy der Eltern benutzen dürfen, so dass dies den Anschein einer Einwilligung in den Kauf hervorriefe. Der Verkäufer der Spiele-Leistungen könne sich daher darauf verlassen, dass er dem minderjährigen Kind Ware verkaufen darf. Ebenso dürfe sich der Mobilfunkanbieter darauf verlassen, dass die Abrechnung über die Handyrechnung von den Eltern gewollt sei.

Dieses Argument ist in rechtlicher Hinsicht falsch. Zum einen kann es immer wieder vorkommen, dass das Kind das Handy unbefugt benutzt. Beispielsweise kann es das Handy lediglich für die normale Nutzung ausgehändigt erhalten haben, nicht jedoch zum Tätigen von Einkäufen. Zum anderen ist es möglich, dass das Kind das Handy gänzlich unbefugt benutzt, ohne Wissen und Wollen der Eltern. Das kann mit einem Handy genau so passieren wie mit Bargeld oder einer Kreditkarte. Kinder bleiben Kinder. Alleine durch die Nutzung einer Zahlmethode kann der Verkäufer nicht darauf schließen, dass der Kauf von den Eltern erlaubt war. Das Recht, eine nachträgliche Genehmigung des Kaufes zu verweigern wird den Eltern dadurch nicht genommen.

Hinzu kommt, dass der Verkäufer von Spiele-Leistungen genau weiß, dass eine Mehrzahl seiner Kunden Minderjährige sind. Derartige Spiele am PC oder auf dem Smartphone richten sich bewusst an Kinder und Jugendliche, ebenso der Verkauf von InGame-Zusatzleistungen.

Das verkaufende Unternehmen muss wissen, dass die Mehrheit seiner Verkaufsgeschäfte möglicherweise ohne Einwilligung der Eltern erfolgen, und dass die nachträgliche Genehmigung ebenfalls verweigert werden könnte. Insofern trägt der Verkäufer von Anfang an das bewusste Risiko, das der Verkauf an einen Minderjährigen mit sich bringt. Er muss damit rechnen, dass Eltern die Genehmigung verweigern und dies konkret in sein Geschäftsmodell mit einkalkulieren. Kommt es tatsächlich zu einer Verweigerung der Genehmigung, so muss der Verkäufer das akzeptieren.

Ebenso ist dieser Umstand dem Zahlungsdienstleister und dem Mobilfunkanbieter bekannt. Beide kennen das Geschäftsmodell und wissen, von wem (Minderjährige) und wofür (Spiele-Zusatzleistungen) die Zahlungen erfolgen. Eine Verweigerung der Rückerstattung bei nicht-erfolgter elterlicher Genehmigung erscheint als ein Handeln wider das eigene Wissen und muss vom Kunden nicht akzeptiert werden.

Sollte der Drittanbieter oder Ihr Mobilfunkanbieter Ihnen die Rückzahlung verwehren, obwohl Sie die Genehmigung des Kaufs verweigert haben, so können Sie sich auf das Urteil des Landgerichts Saarbrücken vom 22.06.2011 (Az. 10 S 60/10) berufen. Das Gericht spricht in der oben beschriebenen Fallkonstellation den Eltern ein eindeutiges Recht zur Verweigerung der Genehmigung und damit ein Rückforderungsrecht der über die Handyrechnung abgerechneten Drittanbieter-Positionen zu.

Die Verweigerung der Genehmigung können Sie sogar direkt Ihrem Mobilfunkanbieter gegenüber geltend machen. In den meisten Fällen verhält es sich bei der Abrechnung von InGame-Zusatzkäufen so, dass die Drittanbieter-Forderungen an den Mobilfunkprovider abgetreten wurden. Das heißt, die Forderung wurde verkauft und wird von da an vom Mobilfunkanbieter auf eigene Rechnung und in eigenem Namen einverlangt. Da Ihnen als Eltern durch einen derartigen Forderungsverkauf nicht das Recht zur Verweigerung der Genehmigung abgeschnitten werden darf, erlaubt Ihnen §404 BGB die Verweigerung direkt gegenüber dem Mobilfunkanbieter geltend zu machen.

Sind Sie sicher, dass der Fremdbetrag auf Ihrer Handyrechnung durch Ihr Kind verursacht wurde, und behauptet der Mobilfunkanbieter trotz Verweigerung der Genehmigung weiterhin, dass Sie zur Zahlung verpflichtet sind, so können Sie diesem Argument mit dem folgenden Musterbrief entgegen treten. Da Sie der Forderung bereits per Einschreiben oder per Fax widersprochen haben, reicht für diesen weiteren Brief ein Versand per E-Mail aus:

Absender:
(Vorname, Name)
(Straße, Hausnummer)
(Postleitzahl, Stadt)

An
(Name Ihres Mobilfunkanbieters)
(Straße, Hausnummer)
(Postleitzahl, Stadt)

Per E-Mail an: (E-Mail-Adresse Ihres Mobilfunkanbieters)

Kundennummer: (Ihre Kundennummer)
Rufnummer: (Ihre Handynummer)
Widerspruch gegen die Rechnung Nr. (Rechnungsnummer) vom (Rechnungsdatum)
Bitte um Stornierung der Drittanbieterpositionen
Verweigerung der Genehmigung

Sehr geehrte Damen und Herren,

Ich habe Ihnen bereits mitgeteilt, dass die Möglichkeit besteht, dass die von Ihnen abgerechneten Drittanbieterleistungen von meinem minderjährigen Kind verursacht wurden. Es kann sein, dass mein Kind für ein Computer/Handyspiel kostenpflichtige Zusatzleistungen erworben hat.

Für einen solchen Kauf habe ich weder eine Einwilligung vorab nach §107 BGB erteilt, noch nachträglich meine Genehmigung gem. §108 BGB gegeben. Ein minderjähriges Kind kann ohne Einwilligung oder Genehmigung der Eltern keinen Kaufvertrag abschließen. In rechtlicher Hinsicht verhält es sich daher so, dass die angebliche Leistung ohne vertragliche Grundlage erbracht wurde. Ist das der Fall, so steht mir bzw. meinem Kind ein Rückforderungsrecht nach §812 BGB zu, da es nicht möglich ist, den Kaufpreis ohne zugrunde liegenden Kaufvertrag einzubehalten.

Zudem ist davon auszugehen, dass Sie die in Rechnung gestellten Leistungen bereits im Rahmen eines Forderungsverkaufs erworben haben. Damit steht mir nach §404 BGB die Möglichkeit zu, die Verweigerung der Genehmigung direkt Ihnen gegenüber zu äußern.

Es trifft auch nicht zu, dass alle Beträge, die über meine Handyrechnung abgerechnet werden, rechtmäßig in Rechnung gestellt sind. Die Bezahlung per Mobilfunkrechnung ist nur eine Zahlungsmethode unter vielen, die vom Herausgeber des von meinem Kind genutzten Spiels angeboten werden. Es darf aber in rechtlicher Hinsicht nicht sein, dass mir – je nach gewählter Zahlungsmethode – einmal ein Recht zur Verweigerung der Genehmigung zusteht, und bei einer anderen Zahlungsmethode nicht. Ein Unternehmen, das kostenpflichtige Zusatzleistungen für Computer- oder Handyspiele anbietet, ist sich bewusst, dass eine große Anzahl von Käufern minderjährige Kinder sind. Es muss also damit rechnen, dass diese Verkäufe wegen einer fehlenden Genehmigung der Eltern rückabzuwickeln sind.

Ich verweise hierzu auf das Urteil des Landgerichts Saarbrücken vom 22.06.2011 (Az. 10 S 60/10), in dem gerichtlich geklärt wurde, dass bei derartigen Drittanbieterabrechnungen ein Rückforderungsrecht der Eltern besteht.

Sie sind somit in jeglicher Hinsicht dazu verpflichtet, das für die Drittanbieterleistungen erhaltene Geld an mich zurückzuzahlen.

Mit freundlichen Grüßen
(Ihre Unterschrift)
(Ort, Datum)

12 Rechtliche Erläuterungen

Hier finden Sie Erklärungen zu den wichtigsten Paragraphen, die in diesem Ratgeber erwähnt wurden, in ihrem Originalwortlaut, mit kurzen Erläuterungen. Ich habe dabei die für Sie relevanten Absätze eines Paragraphen abgedruckt, die eher unwichtigen zugunsten eines besseren Verständnisses weggelassen. Über die Internetseite „www.gesetze-im-internet.de" können Sie jederzeit den vollständigen Text einer Norm nachlesen. Das Bürgerliche Gesetzbuch habe ich mit der gebräuchlichen Form „BGB" abgekürzt, das Telekommunikationsgesetz mit „TKG".

12.1 Recht auf Drittanbietersperre (§45d TKG)

Nach §45d Absatz 3 des Telekommunikationsgesetzes (TKG) haben Sie gegenüber Ihrem Mobilfunkanbieter das Recht auf eine kostenfreie Drittanbietersperre: *„Der Teilnehmer kann von dem Anbieter öffentlich zugänglicher Mobilfunkdienste und von dem Anbieter des Anschlusses an das öffentliche Mobilfunknetz verlangen, dass die Identifizierung seines Mobilfunkanschlusses zur Inanspruchnahme und Abrechnung einer neben der Verbindung erbrachten Leistung unentgeltlich netzseitig gesperrt wird."*

Ihr Mobilfunkanbieter ist damit gesetzlich verpflichtet, jegliche Leistungen von Fremdfirmen über Ihre Handyrechnung zu sperren. Auf Wunsch darf Ihr Provider dann lediglich die eigenen Verbindungsleistungen berechnen (Gespräche, SMS, MMS, Internet Flatrates etc.), nicht aber die Leistungen von anderen Unternehmen. Eine Sperrung ist der wirksamste Schutz vor zukünftigen unberechtigten Rechnungsposten. Sie geschieht dergestalt, dass Ihr Mobilfunkprovider nach Setzung der Sperre die Erlaubnis verliert, Ihre Rufnummer an Fremdfirmen zu übertragen. Ohne die Rufnummernübermittlung ist keine Abrechnung über Ihre Handyrechnung mehr möglich. Es bestehen sogar die technischen Mittel, einzelne Dienste gezielt auszuschließen, was jedoch nicht von allen Providern angeboten wird.

Absatz 2 von §45 d TKG erlaubt die Sperrung von bestimmten Rufnummernbereichen, so dass gezielt z.B. 0900er-Nummern, Auskunfts- und Vermittlungsdienste (118), 0180er Service-Dienste usw. abgeblockt werden können: *„Der Teilnehmer kann von dem Anbieter öffentlich zugänglicher Telefondienste und von dem Anbieter des Anschlusses an das öffentliche Telekommunikationsnetz verlangen, dass die Nutzung seines Netzzugangs für bestimmte Rufnummernbereiche im Sinne von §3 Nummer 18a unentgeltlich netzseitig gesperrt wird, soweit dies technisch möglich ist. Die Freischaltung der gesperrten Rufnummernbereiche kann kostenpflichtig sein."* Nicht möglich ist die Sperrung von Rufnummern-Teilbereichen, also z.B. „0900-3..."-Bereiche oder einzelne Ortsvorwahlen.

Leider verweigern nach wie vor einzelne Mobilfunkanbieter die Sperrung von Drittanbieterleistungen. Sie begründen das damit, dass sie angeblich dazu nicht verpflichtet wären, oder dass es technisch nicht möglich sei. Sollte Ihr Anbieter dieser Ansicht sein, so halten Sie ihm den hier abgedruckten Gesetzestext entgegen und fordern zur vollständigen Sperrung von Fremdanbieterleistungen auf.

Setzt Ihr Mobilfunkanbieter nach Beantragung einer Sperre dennoch weitere Drittanbieter auf Ihre Handyrechnung, so haben Sie das Recht, den Vertrag außerordentlich zu kündigen. Hierzu setzen Sie Ihrem Anbieter eine Frist von zwei Wochen, innerhalb dieser die rechtswidrig abgerechneten Drittanbieter stornieren und Ihnen die Drittanbietersperre bestätigen muss. Geschieht das nicht, so wird die Kündigung automatisch wirksam.

12.2 Angaben zum Drittanbieter in der Mobilfunkrechnung (§45h TKG)

Rechnet Ihr Mobilfunkanbieter Leistungen von Drittunternehmen ab, so hat er diesbezüglich erhebliche Hinweispflichten. §45h TKG bestimmt in Absatz 1, dass die Drittanbieter-Leistungen, welche auf Ihrer Handyrechnung abgerechnet werden, konkret bezeichnet werden müssen:

„Soweit ein Anbieter von öffentlich zugänglichen Telekommunikationsdiensten dem Teilnehmer eine Rechnung stellt, die auch Entgelte für Leistungen Dritter ausweist, muss die Rechnung des Anbieters in einer hervorgehobenen und deutlich gestalteten Form folgendes enthalten:
1. die konkrete Bezeichnung der in Rechnung gestellten Leistungen,
2. die Namen und ladungsfähigen Anschriften beteiligter Anbieter von Netzdienstleistungen,
3. einen Hinweis auf den Informationsanspruch des Teilnehmers nach §45p,
4. die kostenfreien Kundendiensttelefonnummern der Anbieter von Netzdienstleistungen und des rechnungsstellenden Anbieters, unter denen der Teilnehmer die Informationen nach §45p erlangen kann,
5. die Gesamthöhe der auf jeden Anbieter entfallenden Entgelte. "

Leider kommen dieser Pflicht die wenigsten Mobilfunkanbieter nach. Im Normalfall wird nur der Name des Drittanbieters genannt, das Datum der angeblichen Leistung und der Preis. Tatsächlich wäre Ihr Mobilfunkprovider dazu verpflichtet, genau zu beschreiben, für welche Leistung Sie die Zahlung erbringen sollen. Es müsste alleine aus der Handyrechnung erkennbar sein, welche konkreten Dienste Ihnen der Drittanbieter geliefert hat. Natürlich kann eine Handyrechnung nicht jede einzelne Drittanbieterleistung ausführlich umschreiben, jedoch muss zumindest die Art des Dienstes oder seine Gattung benannt werden. Anhand der Bezeichnung sollte der Kunde den grundlegenden Inhalt der Drittanbieterleistung erkennen und überprüfen können.

Ist das nicht der Fall, so ist die Rechnung fehlerhaft, und Sie könnten alleine schon aus diesem Grund die Zahlung verweigern. Sie haben als Kunde ein Recht auf ordnungsgemäß erstellte und fehlerfreie Abrechnungen. Sie müssen erkennen können, für was Sie Ihr Geld ausgeben.

Nach Nummer 2 und 4 des Absatz 1 ist Ihr Mobilfunkanbieter verpflichtet, in der Rechnung alle beteiligten Netzdienstleister anzugeben. Hiermit sind nicht die Drittanbieter gemeint, sondern die Mobilfunkanbieter, die das Netz zur Verfügung stellen. Diese müssen Ihnen eine kostenfreie Rufnummer angeben, unter der Sie den genauen Namen und eine deutsche Adresse der beteiligten Drittanbieter erfahren können. Dieser weitergehende Anspruch auf Drittanbieter-Informationen ist in §45p TKG geregelt.

§45h Absatz 3 TKG macht noch einmal deutlich, dass der Kunde eines Mobilfunkanbieters einzelnen Rechnungsposten widersprechen darf, wenn er diesen Widerspruch entsprechend begründet:
„Das rechnungsstellende Unternehmen muss den Rechnungsempfänger in der Rechnung darauf hinweisen, dass dieser berechtigt ist, begründete Einwendungen gegen einzelne in der Rechnung gestellte Forderungen zu erheben. "

12.3 Rechnungsüberprüfung innerhalb von acht Wochen (§45i TKG)

Der Kunde besitzt nach §45i Absatz 1 TKG das Recht, die Mobilfunkrechnung innerhalb von acht Wochen nach Erhalt zu überprüfen und zu beanstanden: *„Der Teilnehmer kann eine ihm von dem Anbieter von Telekommunikationsdiensten erteilte Abrechnung innerhalb einer Frist von mindestens acht Wochen nach Zugang der Rechnung beanstanden. Im Falle der Beanstandung hat der Anbieter das in Rechnung gestellte Verbindungsaufkommen unter Wahrung der datenschutzrechtlichen Belange etwaiger weiterer Nutzer des Anschlusses als Entgeltnachweis nach den einzelnen Verbindungsdaten aufzuschlüsseln und eine technische Prüfung durchzuführen, es sei denn, die*

Beanstandung ist nachweislich nicht auf einen technischen Mangel zurückzuführen. Der Teilnehmer kann innerhalb der Beanstandungsfrist verlangen, dass ihm der Entgeltnachweis und die Ergebnisse der technischen Prüfung vorgelegt werden.,,

Die achtwöchige Frist beginnt in dem Moment, in dem der Kunde die Rechnung bekommen hat. Dabei muss der Mobilfunkanbieter beweisen, wann genau das der Fall war. Es kommt nicht auf das Rechnungsdatum an, sondern auf den Zeitpunkt des Zugangs.

Erkennen Sie innerhalb dieser acht Wochen einen Fehler in Ihrer Handyrechnung, so wenden Sie sich schriftlich an den Mobilfunkanbieter und weisen auf den Fehler hin. Anschließend steht der Anbieter in der Pflicht, eine technische Überprüfung der Verbindungen durchzuführen. Auf Wunsch kann der Kunde das Ergebnis dieser Überprüfung vorgelegt verlangen.

Leider zeigt die Realität, dass derartige „technische Prüfprotokolle" wenig Nutzen bringen. Es gibt keine gesetzliche Regelung, wie ein solches Prüfprotokoll auszusehen hat. Damit ist dem Mobilfunkanbieter ein weiter Gestaltungsspielraum überlassen, welche Überprüfungen er vornimmt und wie er das dokumentiert. Letztendlich ergeben derartige Überprüfungsprotokolle nur, dass der Mobilfunkanbieter sich noch einmal alle Verbindungen angesehen hat, und dass diese korrekt berechnet wurden. Insofern bringt es Ihnen wenig, ein solches Protokoll zu verlangen. Es lässt keinen Einblick zu, ob und in welcher Intensität der Anbieter tatsächlich eine Überprüfung vorgenommen hat.

Bucht ein Drittanbieter über Ihre Handyrechnung Leistungen ab, die Sie nie bestellt haben und für die es keine vertragliche Grundlage gibt, so gilt diese Frist nicht. Stattdessen können Sie die Beträge innerhalb der gesetzlichen Verjährungsfrist von drei Jahren direkt vom Drittanbieter zurückverlangen.

Das liegt daran, dass es sich hierbei um einen Geldeinzug ohne vertragliche Grundlage handelt. In diesen Fällen sieht das Gesetzbuch einen speziellen Paragraphen vor, den §812 BGB. Dieser besagt, dass Sie Geld, das jemand anderes von Ihnen erhalten hat, ohne dass es dafür einen rechtlichen oder vertraglichen Grund gibt, zurückfordern dürfen. Eine Begrenzung auf acht Wochen kennt der Paragraph nicht. Es gilt dann die gesetzliche Verjährungsfrist von drei Jahren. Diese beginnt am ersten Januar des auf die Abbuchung folgenden Jahres. Wurde beispielsweise am 12.03.2014 über Ihre Handyrechnung ein unberechtigter Betrag für angebliche Drittanbieterleistungen abgebucht, so beginnt die Verjährungsfrist am 01.01.2015 und endet am 31.12.2017. Bis Silvester 2017 haben Sie damit die Möglichkeit, Ihr Geld zurückzuerlangen.

Besteht der Verdacht, dass Dritte unbefugt Ihren Telefonanschluss missbraucht und dadurch kostenpflichtige Rechnungsposten hervorgerufen haben, kann §45 i Absatz 4 TKG für Sie wichtig werden: *„Soweit der Teilnehmer nachweist, dass ihm die Inanspruchnahme von Leistungen des Anbieters nicht zugerechnet werden kann, hat der Anbieter keinen Anspruch auf Entgelt gegen den Teilnehmer. Der Anspruch entfällt auch, soweit Tatsachen die Annahme rechtfertigen, dass Dritte durch unbefugte Veränderungen an öffentlichen Telekommunikationsnetzen das in Rechnung gestellte Verbindungsentgelt beeinflusst haben."*

Nach dieser Regelung hat Ihr Mobilfunkanbieter keinen Anspruch auf Zahlung, wenn Sie nachweisen, dass nicht Sie die Kosten hervorgerufen haben, sondern andere dritte Personen, und Sie dafür keine Verantwortung tragen. Diese tragen Sie nur dann, wenn Ihnen die Handlungen anderer Personen schuldhaft zugerechnet werden können, Sie also fahrlässig oder vorsätzlich dafür gesorgt haben, dass andere auf Ihren Anschluss zugreifen und möglicherweise Kosten verursachen können.

Hat beispielsweise ein Dieb Ihr Handy entwendet und eigenständig kostenpflichtige Rufnummern gewählt, obwohl Sie mit größter Sorgfalt einen Diebstahl zu verhindern versucht haben, so können

Ihnen die Telefonate des Diebs gemäß dieser Norm womöglich nicht zugerechnet werden. Ähnliches gilt, wenn sich ein Virus oder ein Trojaner auf Ihr Mobiltelefon lädt und anschließend kostenpflichtige SMS versendet oder Rufnummern anwählt.

Wichtig ist in derartigen Fällen, dass Sie einen möglichst ausführlichen und genauen Nachweis erbringen, warum Sie an der Nutzung Ihres Anschlusses durch fremde Personen oder Programme keine Schuld tragen, Sie also alle erforderlichen Schutz- und Abwehrvorrichtungen genutzt und eingehalten haben.

12.4 Sperrung des Anschlusses durch den Mobilfunkanbieter (§45k TKG)

Nach §45k Absatz 2 TKG darf ein Mobilfunkanbieter erst dann eine Anschlusssperrung verhängen, wenn der Kunde mit mehr als 75 Euro im Zahlungsrückstand ist, und die Sperre mindestens zwei Wochen zuvor schriftlich angekündigt wurde: *„Wegen Zahlungsverzugs darf der Anbieter eine Sperre durchführen, wenn der Teilnehmer nach Abzug etwaiger Anzahlungen mit Zahlungsverpflichtungen von mindestens 75 Euro in Verzug ist und der Anbieter die Sperre mindestens zwei Wochen zuvor schriftlich angedroht und dabei auf die Möglichkeit des Teilnehmers, Rechtsschutz vor den Gerichten zu suchen, hingewiesen hat. Bei der Berechnung der Höhe des Betrags nach Satz 1 bleiben nicht titulierte Forderungen, die der Teilnehmer form- und fristgerecht und schlüssig begründet beanstandet hat, außer Betracht. Ebenso bleiben nicht titulierte bestrittene Forderungen Dritter im Sinne des §45h Absatz 1 Satz 1 außer Betracht. Dies gilt auch dann, wenn diese Forderungen abgetreten worden sind.“*

Ein wichtiger Punkt in diesem Zusammenhang ist der, dass in den Betrag von 75 Euro begründet bestrittene Rechnungsbeträge nicht mit eingerechnet werden dürfen. Also Rechnungsposten, gegen die der Kunde Widerspruch eingelegt hat. Ausdrücklich werden hierbei bestrittene Leistungen von Drittanbietern genannt. Aus der Begründung muss der Mobilfunkanbieter schlüssig erkennen, warum der Widerspruch eingelegt wurde. Die Begründung muss dabei nachvollziehbar sein.

Legen Sie Widerspruch gegen Teilbeträge Ihrer Handyrechnung ein, so schildern Sie bitte so genau wie möglich, warum Sie die beanstandeten Beträge nicht verursacht haben können. Teilen Sie mit, dass Sie den Drittanbieter nicht kennen, keinen Vertrag mit diesem abgeschlossen und keine Leistungen bezogen haben. Fand die angebliche Leistung zu einer Zeit statt, in der Sie geschlafen oder gearbeitet haben, so schildern Sie diese Umstände. Je mehr Einwendungen Sie vorbringen, desto besser.

Nachdem Sie Widerspruch eingelegt haben, ist Ihr Mobilfunkanbieter dazu verpflichtet, die Rechtmäßigkeit der bestrittenen Beträge nachzuweisen. Das dürfte ihm nur in den seltensten Fällen gelingen. Insofern muss Ihr Anbieter die Teilbeträge von der Rechnung herunter nehmen und den Forderungseinzug an den Drittanbieter zurück geben.

Der Gesetzgeber möchte mit dieser Regelung bezwecken, dass sich der Kunde nicht aus Angst vor einer Anschlusssperrung zur Zahlung eigentlich unberechtigter Rechnungsbeträge genötigt fühlt. Der Kunde soll die Möglichkeit haben, Widerspruch einzulegen und Zahlungen zu verweigern, ohne dass sein Anschluss stillgelegt wird.

Eine Sperrung ist erst dann möglich, wenn der Kunde einen Zahlungsrückstand hinsichtlich berechtigter Rechnungsposten aufweist. Kann der Kunde aufgrund eines finanziellen Engpasses seine Telefonrechnung nicht bezahlen, so kommt diese Vorschrift zum Einsatz.

Leider halten sich manche unseriöse Mobilfunkanbieter nicht an das Gesetz. Sie sperren sogar dann, wenn es sich um widersprochene Rechnungsbeträge handelt.

Eine Sperrung ist somit rechtswidrig und muss vom Kunden nicht akzeptiert werden. Hier hat der Kunde das Recht zur außerordentlichen Kündigung, zumindest aber zur Zahlungsverweigerung. Rechnungsbeträge eines rechtswidrig gesperrten Anschlusses müssen nicht bezahlt werden.

Eine Ausnahme gilt gemäß §45k Absatz 2 Satz 5 TKG nur dann, wenn Ihr Mobilfunkanbieter Sie aufgefordert hat, den Durchschnittsbetrag der Mobilfunkrechnungen der letzten sechs Monate zu bezahlen, und Sie das nicht innerhalb von zwei Wochen getan haben: *„Die Bestimmungen der Sätze 2 bis 4 gelten nicht, wenn der Anbieter den Teilnehmer zuvor zur vorläufigen Zahlung eines Durchschnittsbetrags nach §45j aufgefordert und der Teilnehmer diesen nicht binnen zwei Wochen gezahlt hat."* Erhält der Mobilfunkprovider mindestens diesen Durchschnittsbetrag überwiesen, ist eine Sperrung unrechtmäßig.

Nach Absatz 4 von §45k TKG hat der Mobilfunkanbieter das Recht, bei ungewöhnlich hohem Verbindungsaufkommen eine Sperre durchzuführen: *„Der Anbieter darf eine Sperre durchführen, wenn wegen einer im Vergleich zu den vorangegangenen sechs Abrechnungszeiträumen besonderen Steigerung des Verbindungsaufkommens auch die Höhe der Entgeltforderung des Anbieters in besonderem Maße ansteigt und Tatsachen die Annahme rechtfertigen, dass der Teilnehmer diese Entgeltforderung beanstanden wird."*

Es ist gesetzlich nicht definiert, wann das Verbindungsaufkommen als sehr hoch einzustufen ist. Insofern muss der Mobilfunkanbieter das bisherige Kostenaufkommen seines Kunden im Blick behalten. Steigt dieses plötzlich um mehr als 500 Prozent an, so liegt die Rechtmäßigkeit einer Sperrung möglicherweise vor. Das Recht zur Sperre kann zugleich eine Pflicht des Mobilfunkanbieters bedeuten.

Um größeren Schaden von seinem Kunden abzuwenden, sollte der Anbieter eine Sperrung immer dann vornehmen, wenn davon ausgegangen werden kann, dass der Kunde die hohen Kosten nicht willentlich verursacht hat. Hierunter fallen auch Drittanbieterleistungen, die für einen plötzlichen sprunghaften Anstieg der Rechnung sorgen.

12.5 Anspruch auf Auskunft über Drittanbieter (§45p TKG)

Ihr Mobilfunkanbieter ist gesetzlich dazu verpflichtet, Ihnen Namen und Anschrift der auf Ihrer Handyrechnung abgerechneten Drittanbieter kostenfrei mitzuteilen. Hat der Drittanbieter seinen Hauptsitz außerhalb Deutschlands, so muss Ihnen die Adresse eines Zustellbevollmächtigten innerhalb Deutschlands benannt werden. An diese deutsche Adresse können Sie sich wenden, Sie sind nicht dazu verpflichtet, mit einem Unternehmen im Ausland zu korrespondieren. So heißt es in §45p Absatz 1 TKG:

„Stellt der Anbieter von öffentlich zugänglichen Telekommunikationsdiensten dem Teilnehmer eine Rechnung, die auch Entgelte für Leistungen Dritter ausweist, so muss er dem Teilnehmer auf Verlangen unverzüglich kostenfrei folgende Informationen zur Verfügung stellen:
1. die Namen und ladungsfähigen Anschriften der Dritten,
2. bei Diensteanbietern mit Sitz im Ausland zusätzlich die ladungsfähige Anschrift eines allgemeinen Zustellungsbevollmächtigten im Inland."

12.6 Vorzeitige Portierung der Rufnummer (§46 Absatz 4 TKG)

Nach Absatz 4 Satz 3 des §46 TKG haben Sie als Kunde Ihres Mobilfunkproviders das Recht, während eines laufenden Vertrags die Rufnummer auf einen neuen Vertrag zu portieren: *„Für die Anbieter öffentlich zugänglicher Mobilfunkdienste gilt Satz 1 mit der Maßgabe, dass der Endnutzer jederzeit die Übertragung der zugeteilten Rufnummer verlangen kann."* Das heißt, Sie können einen neuen Mobilfunkvertrag abschließen und Ihre bisherige Rufnummer auf diesen übertragen lassen, selbst wenn Ihr alter Vertrag noch einige Monate läuft. Ihr bisheriger Mobilfunkanbieter muss das akzeptieren und nach Übertragung der Rufnummer Ihnen auf Wunsch eine neue zuteilen. Sie sind dann unter der bisherigen Handynummer weiterhin erreichbar.

Nach Satz 2 sind die beiden beteiligten Mobilfunkprovider verpflichtet, den Rufnummernwechsel innerhalb von einem Tag durchzuführen: *„Die technische Aktivierung der Rufnummer hat in jedem Fall innerhalb eines Kalendertages zu erfolgen. ".*

12.7 Geschäfte von Minderjährigen (§107 und §108 BGB)

Ein minderjähriges Kind darf, bis auf wenige Ausnahmen, grundsätzlich keine Geschäfte alleine tätigen. Z.B. für einen Kauf benötigt es die Einwilligung der Eltern oder Erziehungsberechtigten. §107 BGB setzt diese Voraussetzung fest: *„Der Minderjährige bedarf zu einer Willenserklärung, durch die er nicht lediglich einen rechtlichen Vorteil erlangt, der Einwilligung seines gesetzlichen Vertreters."* Eine Einwilligung wird vorab wirksam, das bedeutet, Sie als Elternteil können vor dem Kauf die Einwilligung erteilen, so dass der Kauf rechtlich wirksam ist.

Haben Sie keine Einwilligung gegeben, weil Ihr Kind beispielsweise nichts von dem Kauf erzählt hat, so liegt zunächst kein rechtlich wirksamer Kauf vor. Sie müssten diesen Kaufvertrag als Elternteil oder Erziehungsberechtigte nachträglich genehmigen.

Das wird in §108 Absatz 1 BGB festgelegt: *„Schließt der Minderjährige einen Vertrag ohne die erforderliche Einwilligung des gesetzlichen Vertreters, so hängt die Wirksamkeit des Vertrags von der Genehmigung des Vertreters ab."* Verweigern Sie diese Genehmigung, so kommt es zu keinem rechtlich wirksamen Kauf, ein Kaufvertrag wird nicht abgeschlossen. Das bedeutet, der Verkäufer besitzt keine vertragliche Grundlage, um Geld von Ihrem Kind oder von Ihnen zu fordern. Hat er den Kaufpreis bereits erhalten, so muss er ihn wieder zurückzahlen.

Diese Grundsätze gelten nicht nur für alltägliche Käufe im Ladengeschäft, sondern auch dann, wenn Ihr Kind einen Kauf im Internet oder innerhalb eines Computerspiels tätigt. Kauft Ihr Kind für ein Spiel Zusatzleistungen ein, um die Spielfigur zu verbessern oder mehr Spielwährung zu erhalten, so liegt ein ganz normaler Kaufvertrag vor, den das Kind ohne Ihre Einwilligung abgeschlossen hat. Verweigern Sie diesem Kauf die nachträgliche Genehmigung, so kommt nie ein wirksamer Vertrag zustande.

Der Drittanbieter, der die Leistung Ihrem Kind verkauft hat, und diese anschließend über Ihre Handyrechnung abrechnet, macht das ohne vertragliche Grundlage und handelt damit rechtswidrig. Hat der Drittanbieter das Geld bereits erhalten, so muss er dieses wieder herausgeben. Hat Ihr Mobilfunkanbieter das Geld erhalten, so ist auch dieser zur Herausgabe verpflichtet. Die Einwendung der fehlenden Genehmigung können Sie nicht nur dem Drittanbieter entgegen halten, sondern nach §404 BGB auch dem Mobilfunkprovider.

12.8 Anfechtung aufgrund eines Irrtums (§119 BGB)

Wenn Sie versehentlich einen Vertrag eingehen, den Sie überhaupt nicht abschließen wollten, besteht für Sie die Möglichkeit, den Vertrag wegen Irrtums anzufechten. Eine Anfechtung beseitigt den Vertragsschluss von Anfang an und macht ihn vollständig nichtig. Im Anschluss an eine Anfechtung werden Sie so gestellt, als ob Sie den Vertrag niemals abgeschlossen hätten.

Die Anfechtung wegen Irrtums findet sich in §119 Absatz 1 BGB: *„Wer bei der Abgabe einer Willenserklärung über deren Inhalt im Irrtum war oder eine Erklärung dieses Inhalts überhaupt nicht* *abgeben wollte, kann die Erklärung anfechten, wenn anzunehmen ist, dass er sie bei Kenntnis der Sachlage und bei verständiger Würdigung des Falles nicht abgegeben haben würde."*

Voraussetzung ist, dass Sie sich beim Abschluss des Vertrages darüber geirrt haben, was Sie eigentlich abschließen. Gehen Sie beispielsweise davon aus, dass Sie einen Vertrag mit ausschließlich kostenlosen Leistungen vereinbaren, tatsächlich handelt es sich aber ohne Ihr Wissen um kostenpflichtige Leistungen, so unterliegen Sie bei Vertragsschluss einem Irrtum. Sie haben sich über den Inhalt des Vertrags geirrt, da Sie zu Zahlungen verpflichtet werden, obwohl Sie von kostenlosen Leistungen ausgingen. Oder aber Sie bemerken im Extremfall überhaupt nicht, dass Sie einen Vertrag abgeschlossen haben. Sie befanden sich dann im Irrtum darüber, dass Ihre Willenserklärung einen Vertragsschluss auslöst.

Wichtig ist, dass Sie die Anfechtung umgehend erklären, nachdem Sie von dem Irrtum erfahren haben. Verlangt wird eine „unverzügliche" Anfechtung, ohne schuldhaftes Zögern. Das bedeutet, dass Sie sehr zeitnah, nachdem Sie Kenntnis von dem Irrtum erfahren haben, den Vertrag anfechten müssen. Im Normalfall ist dieser Zeitpunkt gegeben, wenn Sie die erste Rechnung bekommen. Dann wissen Sie, dass Sie versehentlich einen kostenpflichtigen Vertrag abgeschlossen haben, und müssen umgehend reagieren. Unverzügliches Handeln bedeutet aber nicht sofortiges Handeln. Sie haben durchaus noch die Möglichkeit, sich über die Rechtslage aufklären zu lassen, z.B. durch eine Beratung in der Verbraucherzentrale. Dies sollte zeitnah geschehen, so dass Sie die Anfechtung innerhalb weniger Tage nach Kenntniserlangung über den Irrtum erklären können.

Zusammen mit der Anfechtungserklärung müssen Sie beschreiben, warum Sie sich geirrt haben. In den meisten Fällen liegt eine solche Begründung in dem Umstand, dass Sie nicht erkennen konnten, einen Vertrag bzw. einen kostenpflichtigen Vertrag abzuschließen. Schildern Sie an dieser Stelle bitte genau, warum dieser Irrtum eingetreten ist. Beschreiben Sie, was Sie vor sich gesehen haben, und warum Sie aufgrund dessen nicht davon ausgingen, einen kostenpflichtigen Vertrag abzuschließen.

Als Folge einer Anfechtung wegen Irrtums ergibt sich, dass Sie sich gegenüber der anderen Vertragspartei schadensersatzpflichtig gemacht haben. Dieser Schadensersatz erstreckt sich aber nur auf die unnützen Aufwendungen, die der Gegenseite entstanden sind. Sie müssen nicht deren entgangenen Gewinn ersetzen. Ersatzpflichtig sind lediglich die entstandenen Kosten, wie beispielsweise Porto, Büromaterial, etc. Das Unternehmen kann nicht verlangen, so gestellt zu werden, wie es bei Gültigkeit des Vertrages gestanden hätte. Das schließt es aus, dass die Gegenseite von Ihnen einen entgangenen Gewinn fordern kann, der bei Durchführung des Vertrags entstanden wäre.

Der Anspruch auf Schadensersatz scheidet aus, wenn die Gegenseite ein Mitverschulden trägt. Hat die Gegenseite zumindest fahrlässig dafür gesorgt, dass bei Ihnen ein derartiger Irrtum entstehen musste, kann von einem Mitverschulden ausgegangen werden. Sie sind in diesem Fall zu keinerlei Zahlungen verpflichtet. Fehlt ein deutlicher Hinweis auf einen Vertragsabschluss oder auf die Kostenpflichtigkeit des Vertrags, so liegt ein derartiges Mitverschulden so gut wie immer vor, so dass Sie zu keinen Schadensersatzleistungen verpflichtet sind.

Wichtig ist, dass eine Anfechtung in dem Moment wirksam wird, in dem sie der Gegenseite zugeht. Sobald Ihr Einschreiben, Ihr Fax oder Ihr PDF die gegnerische Seite erreicht hat, ist diese bereits wirksam geworden. Es spielt keine Rolle, ob die andere Seite die Anfechtung anerkennt oder nicht. Bei einer Anfechtung handelt es sich in juristischer Hinsicht um eine „einseitige Willenserklärung", für deren Wirksamkeit keine Bestätigung durch die Empfängerseite notwendig ist. Sie sind lediglich dazu verpflichtet, den Zugang der Anfechtungserklärung nachweisen zu können. Hierfür dient Ihnen der Rückschein eines Einschreibens oder der Sendebericht des Faxgeräts.

Im Bereich der Drittanbieter-Problematik haben Sie das Recht zur Anfechtung wegen Irrtums, wenn der Drittanbieter behauptet, Sie hätten einen Vertrag abgeschlossen, ohne dass Sie das erkennen konnten. Haben Sie durch das Betätigen eines Banners oder eines Buttons in einer App oder auf einer Internetseite angeblich einen kostenpflichtigen Vertrag ausgelöst, so befanden Sie sich über diesen Vertragsabschluss im Irrtum. Sie gingen davon aus, dass kein Vertrag geschlossen wird, oder Sie nahmen an, dass Sie einen kostenlosen Vertrag abschließen. Oder Sie wollten eine einmalige Leistung in Anspruch nehmen, nicht jedoch ein Abonnement. In allen diesen Varianten besteht für Sie ein Recht zur Anfechtung wegen Irrtums.

12.9 Anfechtung wegen Täuschung (§123 BGB)

Wurden Sie durch Täuschung in einen Vertrag genötigt, den Sie bei Kenntnis der tatsächlichen Sachlage nie abgeschlossen hätten, so wäre es ein Unding, wenn Sie an diesen Vertrag gebunden wären. Der Gesetzgeber hat daher für solche Fälle die „Anfechtung aufgrund von Täuschung" vorgesehen. Hierzu heißt es in §123 Absatz 1 BGB: *„Wer zur Abgabe einer Willenserklärung durch arglistige Täuschung oder widerrechtlich durch Drohung bestimmt worden ist, kann die Erklärung anfechten."*

Hat Ihnen jemand falsche Tatsachen vorgespielt, und dadurch einen Irrtum in Ihnen erweckt, aufgrund dessen Sie den Vertrag abgeschlossen haben, so liegt eine Täuschung vor. Natürlich werden derartige Täuschungen meist aus Gewinnerzielungsabsicht vorgenommen. Das Ziel der Gegenseite liegt darin, Sie in einen Vertrag zu locken, den Sie überhaupt nicht wollen, oder im Extremfall nicht einmal erkennen können.

Schließen Sie einen Vertrag ab, der Ihnen nur kostenlose Leistungen verspricht, sich aber als kostenpflichtig herausstellt, so liegt eine typische Täuschung vor. Wird Ihnen überhaupt nicht deutlich gemacht, dass Sie einen Vertrag abschließen, und befinden Sie sich plötzlich in einem kostenpflichtigen Vertragsverhältnis, so kann eine Täuschung vorliegen. Eine typische Situation ist die, dass Sie durch Betätigung eines Buttons im Internet oder in einer App ein kostenpflichtiges Vertragsverhältnis eingegangen sind, ohne dass man Ihnen das kenntlich gemacht hat. Derartige Verträge können Sie wegen Täuschung anfechten.

Die Anfechtung wegen Täuschung kann innerhalb von einem Jahr erklärt werden. Diese Frist beginnt in dem Moment zu laufen, in dem Sie die Täuschung entdeckt haben. Meist ist das der Fall, sobald Sie die erste Rechnung erhalten.

Nachdem die Gegenseite Ihr gut begründetes Anfechtungsschreiben erhalten hat, und Sie diesen Zugang durch das Einschreiben oder den Fax-Sendebericht nachweisen können, entfaltet die Anfechtung wegen Täuschung ihre volle Wirksamkeit: Der Vertrag wird von Anfang an als „nichtig" behandelt, also so, als ob es den Vertrag nie gegeben hätte. Damit hat die Gegenseite keine rechtliche Möglichkeit mehr, gegen Sie vorzugehen. Es gibt keine vertragliche Grundlage, die als Basis für die Geltendmachung von Forderungen dienen könnte.

Der Unterschied zur Anfechtung wegen Irrtums liegt darin, dass Sie bei einer Täuschungsanfechtung keinen Schadensersatz an die Gegenseite bezahlen müssen. Das kommt daher, dass der Gesetzgeber eine Person oder ein Unternehmen, das seine Kunden absichtlich täuscht, nicht auch noch mit einer Schadensersatzzahlung „belohnen" will. Vielmehr sollten Sie eine Prüfung veranlassen, ob sich die Gegenseite nicht sogar wegen Betruges nach §263 des Strafgesetzbuches strafbar gemacht hat.

Im Bereich der Drittanbieter-Problematik können Sie einen Vertrag wegen Täuschung immer dann anfechten, wenn Sie den angeblichen Vertragsabschluss überhaupt nicht erkennen konnten, wenn

Sie von einem lediglich kostenlosen Vertrag ausgingen, oder wenn Sie eine einmalige Leistung in Anspruch nehmen wollten, nicht jedoch ein Abonnement, und wenn davon ausgegangen werden kann, dass Sie diesem Irrtum absichtlich unterliegen sollten.

Besteht die Vermutung, dass Sie der Drittanbieter gezielt getäuscht hat, um das Schließen eines kostenpflichtigen Vertrags zu verschleiern, so stellt dies einen typischen Fall für die Täuschungsanfechtung dar.

12.10 Mitverschulden der Gegenseite am Schaden (§254 BGB)

Fordert Sie die Gegenseite zum Ersatz eines Schadens auf, so muss zunächst überprüft werden, ob Sie hierzu verpflichtet sind. In zahlreichen Fällen hat die Gegenseite erheblich dazu beigetragen, dass der Schaden überhaupt entstehen konnte. Hätte durch umsichtiges Handeln ein Teil des Schadens vermieden werden können, so sind Sie nach §254 Absatz 1 BGB nicht zum Ersatz dieses Teilschadens verpflichtet: *„Hat bei der Entstehung des Schadens ein Verschulden des Beschädigten mitgewirkt, so hängt die Verpflichtung zum Ersatz sowie der Umfang des zu leistenden Ersatzes von den Umständen, insbesondere davon ab, inwieweit der Schaden vorwiegend von dem einen oder dem anderen Teil verursacht worden ist.“.*

Ein typischer Fall ist dann gegeben, wenn Sie gegen eine Forderung Widerspruch eingelegt und der Gegenseite mitgeteilt haben, dass Sie keine Zahlungen leisten werden. Die andere Seite sollte dann Bescheid wissen, dass die Angelegenheit entweder durch Einsicht und Verzicht auf weitere unberechtigte Zahlungen, eine gütliche Einigung oder direkt vor Gericht zu lösen ist. Ignoriert die Gegenseite Ihren Widerspruch, erlässt eine Mahnung nach der anderen, schaltet womöglich noch ein Inkassobüro inkl. zusätzlicher Gebührenberechnung ein, erlässt einen gerichtlichen Mahnbescheid gegen Sie und beauftragt am Ende eine Inkasso-Rechtsanwaltskanzlei, die erneut eine außergerichtliche Gebühr hinzurechnet, so entsteht durch diese Mahntätigkeit ein Schadensbetrag, der hätte vermieden werden können. Sie sind nicht dazu verpflichtet, diese Mahnkosten zu tragen. Es empfiehlt sich daher, gleich zu Beginn im Widerspruchsschreiben darauf hinzuweisen, dass weitere Mahntätigkeit aus Kostengründen vermieden werden kann, da Sie Ihren Forderungswiderspruch konsequent aufrecht erhalten.

Legen Sie gegen eine Handyrechnung Widerspruch ein, da auf dieser unberechtigte Fremdanbieter-Positionen abgerechnet werden, und verweigern die Zahlung jener unbekannten Rechnungsposten, so besteht die Möglichkeit, dass Ihr Mobilfunkanbieter trotz Widerspruchs weiterhin die unbezahlten Positionen anmahnt. Berechnet der Anbieter dafür Mahnkosten, gibt die Forderung an ein Inkassobüro ab, und berechnet dieses noch weitere Inkassogebühren, so liegt ein typischer Fall des Mitverschuldens vor. Die weiteren Mahnkosten hätten vermieden werden können, da Sie bereits deutlich gemacht haben, die Ihnen unbekannten Drittanbieterleistungen nicht zu bezahlen.

12.11 Ungültigkeit von überraschenden Regelungen im Vertrag (§305c BGB)

Grundsätzlich muss Ihr Vertragspartner alle wichtigen Details deutlich im Vertrag zum Ausdruck bringen. Sie sollten auf einen Blick erkennen können, welche Leistungen der Vertrag beinhaltet, was diese kosten, und wie die wichtigsten Nebenbedingungen des Vertrags lauten.

So heißt es in §305c Absatz 1 BGB: *„Bestimmungen in Allgemeinen Geschäftsbedingungen, die nach den Umständen, insbesondere nach dem äußeren Erscheinungsbild des Vertrags, so ungewöhnlich sind, dass der Vertragspartner des Verwenders mit ihnen nicht zu rechnen braucht, werden nicht Vertragsbestandteil.“*

Es ist Ihrem Vertragspartner nicht gestattet, wichtige Regelungen in den Allgemeinen Geschäftsbedingungen (kurz „AGB", das „Kleingedruckte") zu verstecken. Die AGBs wurden dafür geschaffen, um für den Vertragsabschluss unwichtige Nebendetails zu bestimmen. Dahinter steckt der Gedanke, dass nicht jeder einzelne Vertrag mit einer Vielzahl an Regelungen überfrachtet werden soll und damit Ausmaße von vielen Seiten einnehmen müsste. Das Ziel des Gesetzgebers lag darin, dass im Hauptvertrag lediglich die wichtigsten Vertragsbestimmungen benannt werden. Alle eher unwichtigen Nebenbestimmungen, die aber in jeden Vertrag mit aufgenommen werden müssen, sollten ihren Einzug in die Allgemeinen Geschäftsbedingungen finden. Der Gesetzgeber ging sogar so weit, dass er dem Vertragsschließenden nicht einmal eine Pflicht zum Lesen der AGBs aufbürdete. Der Verbraucher, der einen Vertrag unterzeichnet, zu dem auch AGBs gehören, kann sich ruhigen Gewissens darauf verlassen, dass in diesen Geschäftsbedingungen keine für den Vertrag wesentlichen Details geregelt werden.

Um den Vertragsschließenden zu schützen, hat der Gesetzgeber daher die Regelung des §305c BGB mit in das Gesetzbuch aufgenommen. Finden sich in den AGBs Regelungen, die für den Vertragsschließenden überraschend wären, so werden diese nicht Vertragsbestandteil.

Im Bereich der Drittanbieter-Problematik stellt sich die Frage, ob Ihr Mobilfunkanbieter die Regelung, dass Fremdunternehmen über Ihre Handyrechnung abrechnen dürfen, in den AGBs verstecken darf. Da es sich hierbei um einen für den Vertrag sehr wichtigen Umstand handelt, darf das eigentlich nicht geschehen. Sie müssten bei Vertragsabschluss deutlich darauf hingewiesen werden, dass eine solche Abrechnung möglich ist und extra von Ihnen zu sperren wäre.

Eine Regelung im Kleingedruckten sollte nur dann rechtlich erlaubt sein, wenn diese Sperrung von Anfang an verhängt ist und der Kunde diese Sperrung nach freier Wahl aufheben darf, um die Abrechnung von Drittanbietern zu ermöglichen. Insofern ist die derzeit von den Mobilfunkanbietern genutzte Regelung in den Geschäftsbedingungen vermutlich unwirksam und wird damit evtl. nicht Vertragsbestandteil. Daher besitzt Ihr Mobilfunkanbieter möglicherweise gar keine vertragliche Grundlage, um Drittanbieterleistungen über die Handyrechnung geltend zu machen.

12.12 Vorzeitige Kündigung eines Vertrags (§314 BGB)

Sind Sie einen Vertrag eingegangen, der sich nicht nur auf eine einmalige Leistung beschränkt, sondern über einen längeren Zeitraum läuft, so haben Sie ein „Dauerschuldverhältnis" abgeschlossen. Dieses endet erst dann, wenn die im Vertrag festgehaltene Zeit abgelaufen ist. Meist handelt es sich dabei um Zeiträume von sechs, zwölf oder 24 Monaten.

Kommt es aber nun so, dass im Rahmen dieses Vertragsverhältnisses eine Störung auftritt, so müssen Sie die Möglichkeit haben, den Vertrag vorzeitig zu beenden. Niemand kann Ihnen zumuten, einen Vertrag bis zum Ende durchzuführen, wenn die Gegenseite ihren Pflichten nicht nachkommt, oder wenn sonstige Beeinflussungen vorliegen.

Im Normalfall müssen Sie gemäß §314 Absatz 2 BGB bei Vorliegen einer Störung der Gegenseite eine Frist setzen, innerhalb dieser die Störung beseitigt werden kann: *"Besteht der wichtige Grund in der Verletzung einer Pflicht aus dem Vertrag, ist die Kündigung erst nach erfolglosem Ablauf einer zur Abhilfe bestimmten Frist oder nach erfolgloser Abmahnung zulässig. §323 Abs. 2 findet entsprechende Anwendung."* Gelingt das der anderen Vertragsseite nicht, so können Sie den Vertrag vorzeitig per außerordentlicher Kündigung beenden.

Es gibt aber Sonderfälle, in denen eine sofortige Kündigung möglich sein muss, ohne dass Sie zuvor in der Pflicht stehen, eine Frist zu setzen. Das ist dann der Fall, wenn für die Kündigung ein „wichtiger Grund" gegeben ist.

§314 Absatz 1 BGB beschreibt diesen wichtigen Grund dergestalt, dass unter Abwägung der Interessen beider Vertragsparteien es der einen Seite nicht zugemutet werden kann, den Vertrag bis zum Ende der normalen Laufzeit fortzuführen: *„Dauerschuldverhältnisse kann jeder Vertragsteil aus wichtigem Grund ohne Einhaltung einer Kündigungsfrist kündigen. Ein wichtiger Grund liegt vor, wenn dem kündigenden Teil unter Berücksichtigung aller Umstände des Einzelfalls und unter Abwägung der beiderseitigen Interessen die Fortsetzung des Vertragsverhältnisses bis zur vereinbarten Beendigung oder bis zum Ablauf einer Kündigungsfrist nicht zugemutet werden kann."*

Ist also das Verhalten der anderen Vertragsseite nicht länger hinnehmbar, oder liegt auf Ihrer Seite ein so bedeutender Umstand vor, dass das Vertragsverhältnis nicht weiter fortgeführt werden kann, so ist eine sofortige außerordentliche Kündigung möglich. Macht sich beispielsweise die Gegenseite strafbar, so können Sie nicht dazu gezwungen sein, mit dieser noch länger in vertraglichem Kontakt zu verbleiben.

Im Bereich der Drittanbieter-Problematik können Sie die außerordentliche Kündigung nach §314 Absatz 2 BGB dazu einsetzen, Ihrem Mobilfunkanbieter eine Frist zur Rechnungskorrektur und Stornierung der Drittanbieterbeträge zu setzen. Kommt Ihr Mobilfunkanbieter dem nicht nach, so können Sie den Vertrag per Kündigung vorzeitig beenden. Die vertragliche „Störung" liegt in einem solchen Fall darin, dass der Anbieter fehlerhafte Rechnungen mit Ihnen unbekannten Leistungen erstellt, diese trotz Widerspruch nicht korrigiert und damit die Gefahr besteht, dass der Mobilfunkanbieter dauerhaft falsche überhöhte Rechnungen erstellen wird. Sie müssten dann bei jeder neuen Rechnung Widerspruch einlegen, eine Rückbuchung durchführen und nur den berechtigten Teilbetrag überweisen. Das müssen Sie nicht hinnehmen, so dass eine außerordentliche Kündigung rechtmäßig ist.

12.13 Widerrufsrecht von Verträgen innerhalb von 14 Tagen (§355 BGB)

Manche Vertragstypen gewähren dem Kunden ein 14-tägiges Widerrufsrecht, vor allem dann, wenn der Verbraucher besonders schutzwürdig erscheint. Das Gesetzbuch sieht die Fallgruppen des Vertragsabschlusses außerhalb von Geschäftsräumen (am Arbeitsplatz, in einer Wohnung oder an der Haustür, während einer Freizeitveranstaltung, auf öffentlichen Flächen bzw. in öffentlichen Verkehrsmitteln etc.) und per Fernkommunikation (Telefon, Brief, Fax, E-Mail, App, Internet) vor.

§355 Absatz 1 BGB gewährt dieses Widerrufsrecht: *„Wird einem Verbraucher durch Gesetz ein Widerrufsrecht nach dieser Vorschrift eingeräumt, so sind der Verbraucher und der Unternehmer an ihre auf den Abschluss des Vertrags gerichtete Willenserklärung nicht mehr gebunden, wenn der Verbraucher sie fristgerecht widerrufen hat. Der Widerruf erfolgt durch Erklärung gegenüber dem Unternehmer. Aus der Erklärung muss der Entschluss des Verbrauchers zum Widerruf des Vertrags eindeutig hervorgehen. Der Widerruf muss keine Begründung enthalten."*

Sie haben in diesen Fällen ein 14-tägiges Widerrufsrecht. Die Frist beginnt für Sie grundsätzlich mit Abschluss des Vertrags, §355 Absatz 2 BGB: *„Die Widerrufsfrist beginnt mit Vertragsschluss, soweit nichts anderes bestimmt ist."* Allerdings beginnt die Frist nur dann zu laufen, wenn Sie zusammen mit dem Abschluss des Vertrags eine ordnungsgemäß gestaltete und den gesetzliche Vorgaben entsprechende Widerrufsbelehrung erhalten haben. Hierzu besagt §356 Absatz 3 Satz 1 BGB: *„Die Widerrufsfrist beginnt nicht, bevor der Unternehmer den Verbraucher entsprechend den Anforderungen des Artikels 246a §1 Absatz 2 Satz 1 Nummer 1 oder des Artikels 246b §2 Absatz 1 des Einführungsgesetzes zum Bürgerlichen Gesetzbuche unterrichtet hat."*

In dem benannten Paragraph des Einführungsgesetzbuches steht die Verpflichtung, dass der Unternehmer dem Verbraucher die Belehrung über sein Widerrufsrecht zukommen lassen muss: *„Steht* dem Verbraucher ein Widerrufsrecht nach §312g Absatz 1 des Bürgerlichen Gesetzbuchs zu, ist der Unternehmer verpflichtet, den Verbraucher zu informieren über die Bedingungen, die Fristen und das Verfahren für die Ausübung des Widerrufsrechts nach §355 Absatz 1 des Bürgerlichen Gesetzbuchs sowie das Muster-Widerrufsformular in der Anlage 2."

Erhalten Sie keine Widerrufsbelehrung, oder ist diese fehlerhaft, so beträgt das Widerrufsrecht gem. §356 Absatz 3 Satz 2 BGB zwölf Monate und 14 Tage: *„Das Widerrufsrecht erlischt spätestens zwölf Monate und 14 Tage nach dem in Absatz 2 oder §355 Absatz 2 Satz 2 genannten Zeitpunkt."*

12.14 Einwendungen bei Forderungsverkauf (§404 BGB)

Verkauft der ursprüngliche Gläubiger eine Forderung an einen neuen Gläubiger, so dürfen Ihnen als vermeintlichem Schuldner keine Nachteile durch diese Abtretung entstehen. Sie müssen die Möglichkeit besitzen, rechtliche Einwendungen gegen den ursprünglichen Gläubiger auch gegen den neuen Gläubiger geltend machen zu können.

Dieses Recht sichert Ihnen §404 BGB zu: *„Der Schuldner kann dem neuen Gläubiger die Einwendungen entgegensetzen, die zur Zeit der Abtretung der Forderung gegen den bisherigen Gläubiger begründet waren."*

Eine Forderungsabtretung kann dann vorliegen, wenn der Drittanbieter seine Forderung an Ihren Mobilfunkanbieter verkauft hat. Damit macht der Mobilfunkprovider die Forderung in eigenem Namen und für eigene Rechnung geltend. Zahlungen gehen nicht an das Fremdunternehmen, sondern nur noch an den Mobilfunkanbieter.

Gegen den Drittanbieter können Sie aufgrund der unrechtmäßigen Leistungsabrechnung die rechtlichen Einwendungen des Widerrufs, der Anfechtung, der Kündigung, und der Verweigerung der Genehmigung bei Nutzung durch Kindern entgegenbringen. §404 BGB erlaubt Ihnen, diese rechtlichen Mittel auch gegenüber Ihrem Mobilfunkanbieter vorzubringen.

12.15 Rückforderung von unrechtmäßig erhaltenem Geld (§812 BGB)

Immer dann, wenn eine andere Person oder ein Unternehmen Geld von Ihnen erlangt hat, ohne dass es dafür eine rechtliche oder vertragliche Grundlage gibt, dürfen Sie dieses Geld zurückverlangen. §812 Absatz 1 Satz 1 BGB gibt Ihnen hierfür die rechtliche Möglichkeit: *„Wer durch die Leistung eines anderen oder in sonstiger Weise auf dessen Kosten etwas ohne rechtlichen Grund erlangt, ist ihm zur Herausgabe verpflichtet."*

Hat ein Drittanbieter über Ihre Handyrechnung unberechtigt Beträge abgebucht und diese bereits erhalten, so haben Sie ein Recht auf Rückzahlung. Der Drittanbieter darf das Geld nicht behalten, da Sie mit diesem keinen Vertrag abgeschlossen haben. Ohne Nachweis der vertraglichen Grundlage muss das Fremdanbieter-Unternehmen sämtliche eingegangene Zahlungen wieder an Sie aushändigen. Dabei gilt die allgemeine Verjährungsfrist von drei Jahren. Diese beginnt am 1. Januar des Folgejahres, nachdem die Gegenseite unberechtigt Geld erlangt hat, und endet nach drei Jahren am 31.12. des dritten Jahres.

Lightning Source UK Ltd.
Milton Keynes UK
UKHW030633300919

350720UK00007B/235/P